Alliantiebesturing

Bij het verrichten van deze studie werd prof.dr. A.P. de Man namens de Stichting Management Studies begeleid door een commissie waarin zitting hadden:

B. Ferwerda, director Human Resources Benelux IBM Nederland BV (voorzitter)
Prof.dr. J.H.J. Bell, vice-president Corporate Alliances Koninklijke Philips Electronics NV
Drs. L. Dijkema, directeur Koninklijke Van Gorcum BV
Mr. S.C.G. Haarbosch, legal counsel CFS Holding BV
Drs. A.P.M. van den Heuvel, senior advisor Van Spaendonck Management Consultants
Ing. P.L.F.J. Marks, partner Nolan, Norton & Co.
Dr. P.W.M. Nobelen, bestuursadviseur
Mw.drs. J.P. Rijsdijk, divisiedirecteur De Nederlandsche Bank NV
Ing. R. Weijers, senior partner WagenaarHoes Organisatie Advies
Mr. H.P.C. Wellen, adjunct directeur Personeel & Organisatie TNO
Prof.dr.ir. J.G. Wissema, organisatie-adviseur en emeritus hoogleraar ondernemerschap en innovatie TU Delft
Mw. drs. B. van Dijkum-de Jong, secretaris Stichting Management Studies

Medewerking van de leden van de Begeleidingscommissie en van het Bestuur van de Stichting Management Studies aan de totstandkoming van dit boek houdt niet automatisch in dat zij het met de inhoud eens zijn. De auteur is verantwoordelijk voor de inhoud.

Alliantiebesturing

Samenwerking als precisie-instrument

Ard-Pieter de Man

Publicatie in opdracht van
Stichting Management Studies (SMS), Den Haag

2006 VanGorcum

Inhoud

Ten geleide

Alleen of samen. Voor die strategische keuze staan steeds meer ondernemingen. Niet alleen grote, internationale bedrijven, maar ook – of mogelijk juist – kleine en middelgrote ondernemingen. Samenwerken met andere ondernemingen is in het huidige tijdsgewricht een serieuze optie als over de toekomst van een onderneming wordt nagedacht. Voor het behoud van de vitaliteit en het concurrentievermogen kan niet alleen op eigen kracht worden vertrouwd. Om mee te kunnen in de snelle technologische ontwikkeling en voor innovatie van producten en diensten is vaak kennis nodig die men niet zelf in huis heeft of voor de ontwikkeling waarvan men niet over de nodige (financiële) middelen beschikt. En steeds meer vindt de concurrentie plaats op het niveau van samengestelde producten en diensten; de klant vraagt om een geïntegreerd pakket van hardware en software dat niet door één onderneming te leveren is. In onze huidige economie krijgt de concurrentie het karakter van een strijd tussen groepen ondernemingen.

Een strategische discussie over samenwerking met een andere onderneming werd jarenlang gevoerd in termen van fusie of overname. De alliantie, waarin wordt samengewerkt tussen ondernemingen die hun juridische zelfstandigheid behouden, is een relatief nieuw verschijnsel. In elk geval op de schaal waarin het zich thans voordoet. Deze toenemende populariteit van allianties is te verklaren uit de mogelijkheden die ze bieden om exact te regelen waarop de samenwerking betrekking heeft, voor hoe lang de samenwerking gaat duren, welke inbreng partijen hebben, hoe de resultaten worden verdeeld, hoe men zal omgaan met veranderende omstandigheden, etc. Allianties zijn in te zetten als precisie-instrument en daarmee spelen ze beter dan fusies en acquisities in op de behoefte aan flexibiliteit in de samenwerking.

Met de toenemende populariteit van allianties ontstaat ook een nieuw terrein van ondernemingsbesturing: besturen over de grenzen van de onderneming heen. Met als meest wezenlijke verschillen met de traditionele ondernemingsbesturing het ontbreken van volledige controle en van een hiërarchie die de doorslag kan geven bij besluitvorming. Besturing vindt plaats in gezamenlijkheid; partners met mogelijk verschillende belangen moeten gezamenlijk beslissingen nemen.

Dit vraagt andere besturingsopvattingen en nieuwe vaardigheden aan de top en op operationeel niveau. Concurrentie blijft weliswaar het dominante paradigma, maar zonder samenwerkingsbekwaamheid kan de concurrentiestrijd van de toekomst niet worden gewonnen.

De Stichting Management Studies heeft met deze studie dit nieuwe veld van besturing en besluitvorming willen verkennen. Ard-Pieter de Man heeft in een aantal verschillende samenwerkingsverbanden onderzocht vanuit welke besturingsopvattingen en met welke besturingssystemen de deelnemende ondernemingen opereerden; hoe de interne besturing van het samenwerkingsverband verliep; hoe de samenwerking doorwerkte in de eigen organisatie van de deelnemers. De hoofdstukken over deze cases bieden interessante doorkijkjes op verschillende praktijken van alliantiebesturing.

De besturingsconcepten 'control' en 'trust' nemen ook in dit boek een prominente plaats in. Kees Cools kwam vorig jaar in zijn door ons geëntameerde studie over corporate governance tot de conclusie "Controle is goed, vertrouwen nog beter". In dit boek stelt Ard-Pieter de Man dat in alliantiebesturing de competitieve en samenwerkingsparadigma's samenkomen en dat het daarom om trust *en* control gaat. In een alliantie zullen partijen moeten leven met de onzekerheid dat men geen volledige controle heeft over de partner en dat die partner een verborgen agenda kan hebben die schadelijk kan zijn voor de eigen onderneming. Deze onzekerheid vraagt om control, om formele vastlegging van afspraken, etc. Anderzijds is duidelijk dat de samenwerking zonder vertrouwen niet werkt en geen meerwaarde oplevert. Het vinden van een juiste balans tussen trust en control is daarom volgens De Man de sleutel tot succesvol alliëren.

De conclusie dat een alliantie bij uitstek de mogelijkheid biedt om een samenwerking heel precies vast te leggen, impliceerde dat in het onderzoek gezocht moest worden naar factoren die relevant zijn voor keuzes rond vormgeving en aansturing. De Man heeft hieraan in deze studie veel aandacht besteed. Daardoor biedt het boek niet alleen kennis en inzichten op strategisch niveau, maar valt er ook veel te leren voor de praktijk van operationele samenwerking.

Namens het bestuur van de Stichting Management Studies, het samenwerkingsverband van ondernemend Nederland voor relevant onderzoek over actuele managementvraagstukken, spreek ik de hoop uit dat dit boek een bijdrage zal leveren aan de zo noodzakelijke vergroting van de slagkracht van het Nederlandse bedrijfsleven.

Mw. drs. J.P. Rijsdijk
Voorzitter Stichting Management Studies
juli 2006

Voorwoord

Eind 2004 belde Barbera van Dijkum, secretaris van de Stichting Management Studies, mij met het verzoek een voorstel in te dienen voor een onderzoek naar alliantiebesturing. Aangezien dit thema nog onderbelicht is, ging ik graag op dit verzoek in te meer omdat het afkomstig was van de genoemde Stichting. Die timmert immers al vele jaren aan de weg met de publicatie van goed onderzochte en relevante studies op het gebied van management, waarvan vele de weg naar mijn boekenkast hebben gevonden. Juist de combinatie van gedegen onderzoek en praktische relevantie spreekt mij erg aan. Het vult het gat op tussen de vaak lichtere ideeën van sommige consultants, journalisten of populistische managementgoeroes en de gedegen, maar doorgaans slecht toepasbare onderzoeken van wetenschappers. Dat het mogelijk is om zowel gedegen als relevant te zijn, wordt telkens weer door de producten van de Stichting bewezen.

Mijn dank gaat daarom uit naar de Stichting Management Studies voor het verstrekken van de opdracht. Het tijdspad dat zij uitzet, lijkt haast onmogelijk. Effectief loopt een onderzoek slechts ongeveer een jaar. Er wordt weliswaar vanuit gegaan dat de auteur de nodige voorkennis heeft, maar dan nog valt het niet mee om binnen een jaar een boek te produceren. Dat kan alleen wanneer dat effectief wordt begeleid.

De rol van de begeleidingscommissie was daarom van groot belang en ik wil haar danken voor haar inzet. De leden brachten nieuwe ideeën aan, hielpen bij het vinden van de juiste cases en hebben van het begin af aan constructief meegedacht. Gelukkig was er in de bijeenkomsten van de begeleidingscommissie ook altijd ruimte voor de nodige relativerende opmerkingen. Zowel qua inhoud als proces was de bijdrage van de commissie dus van belang.

Een belangrijke rol is verder vervuld door mijn collega van de Technische Universiteit Eindhoven, Nadine Roijakkers. Zij voerde een groot deel van het literatuuronderzoek uit dat aan het boek ten grondslag ligt en was betrokken bij de case studies. Haar idee om iets te doen met onzekerheid vormde het begin van het raamwerk in hoofdstuk 8. Daarmee leverde zij een belangrijke bijdrage aan de ontwikkeling van het theoretisch kader.

Verder heeft dit onderzoek geprofiteerd van de medewerking van een aantal managers die in de praktijk met allianties bezig zijn. Door hun hulp is het mogelijk geweest veel inzicht te verwerven in de praktijk van het alliantiebestuur. Van de velen die me in dit project hebben verder geholpen, gaat mijn dank vooral uit naar: Dick Boer (lid Raad van Bestuur van Ahold), Jacques van den Broek (lid Raad van Bestuur van Randstad Holding), Ferdinand Coehoorn (Innovatiemanager bij Philips DAP), Jolande Dirkx (Directeur Keerpunt), Adriaan Frijters (Directeur Nationale-Nederlanden), Henk de Graauw (Director Alliances van KLM), Rens de Haan (Vice President Philips DAP), Frank Romijn (Directeur Divisie Zorgverzekeringen van De Amersfoortse Verzekeringen), Errol Scholten (Manager Finance van Strukton Integrale Projecten), Hans Strikwerda (senior manager Nolan, Norton & Co.), Jan van der Voort (Voorzitter Telersvereniging Prominent) en Cees van Woudenberg (Executive Vice President Air France – KLM Holding company). Zij maakten tijd vrij voor interviews, leverden relevante documenten aan, controleerden de cases en deelden hun ideeën.

Het bleek niet eenvoudig grip te krijgen op het thema alliantiebesturing. Allianties zijn zo veelvormig dat het gevaar dreigt te verdrinken in anekdotiek zonder heldere conclusies. *Varius multiplex multiformis.* Maar juist deze pluriformiteit blijkt de sleutel te zijn tot de verklaring van de toenemende populariteit van allianties. Deze ligt namelijk in het feit dat zij precisie-instrumenten zijn, die aan elke unieke omstandigheid kunnen worden aangepast. Bovendien is het juist die variëteit die samenwerking zo fascinerend maakt. De talloze manieren waarop allianties worden vormgegeven, laten de grote creativiteit zien die door de vrije markt bij ondernemers wordt losgemaakt. De verschillende nieuwe organisatievormen die zo ontstaan, leggen de basis voor een concurrentiekrachtig bedrijfsleven.

Ard-Pieter de Man

Inleiding: een precisie-instrument

Sinds midden jaren tachtig is het aantal allianties tussen bedrijven gestaag gestegen. Meer en meer gebruiken bedrijven samenwerkingspartners om kennis te delen, kennis te ontwikkelen of om toegang te krijgen tot kennis van een partner. De toenemende aandacht voor allianties, hangt dan ook samen met een bredere transformatie van de economie van een industriële naar een kenniseconomie. De organisatievormen van de industriële economie waren de divisievorm en de business unit. Allianties zijn de organisatievorm van de kenniseconomie.

De alliantierevolutie is ook zichtbaar in het dagelijks leven: op negen van de tien pc's is niet alleen het merk van de producent maar ook dat van Microsoft en/of Intel zichtbaar; de Senseo is in een groot aantal huishoudens te vinden, evenals de BeerTender; de KLM-vlucht naar Amerika wordt door Northwest uitgevoerd; bij de McDonald's is regelmatig een Disney happy meal in de aanbieding. Nog groter is het aantal producten dat onzichtbaar voor de consument door een of meer allianties wordt voortgebracht: elke mobiele telefoon leeft van de allianties tussen telecombedrijven, softwareproducenten, hardwareproducenten en contentleveranciers; banken werken samen aan nieuwe betalingsstandaarden; steeds meer medicijnen worden in allianties ontwikkeld of vermarkt. Zichtbaar of onzichtbaar: allianties hebben een grote impact op het dagelijks leven.

Een opvallend kenmerk van de trend richting allianties is de veelvormigheid. Bij de divisievorm en de business unit is het mogelijk de organisatiestructuur te tekenen in een traditioneel organogram dat voor elke organisatie dezelfde basisvorm had: het bekende harkmodel. Bij allianties is het niet mogelijk een basismodel te tekenen dat op elke alliantie past. Er zijn verschillende basismodellen aanwijsbaar, maar binnen elk model zijn weer heel veel verschillende keuzes mogelijk om samenwerking te besturen. Alliantievorming is veelkoppig.

Deze veelvormigheid heeft een nadeel. Door de vele keuzes die kunnen worden gemaakt, is het moeilijk door de bomen het bos te blijven zien. Een gestructureerd stappenplan om alliantiebesturing vorm te geven bestaat niet. De kans dat een onhelder besturingsmodel wordt gekozen, is daarom groot. De oorzaak van de veelvormigheid ligt echter in een belangrijk voordeel van samenwerking: ze kunnen zo worden opgezet dat een nauw omschreven doel kan worden bereikt. Ze zijn heel nauwkeurig af te stemmen op de doelstellingen van de partners. Een alliantie is een precisie-instrument.

Het toenemende belang van allianties en de uitdaging hun besturing goed vorm te geven, zijn aanleiding voor deze studie. De kosten van onheldere bestuurs-structuren kunnen hoog zijn. De winst van een slimme besturing is groot.

Omdat allianties afgestemd zijn op specifieke situaties, kan er niet een alom-vattende blauwdruk voor alle mogelijke samenwerkingsvormen worden gemaakt. Het toenemende belang van allianties in combinatie met de vele verschijningsvormen die zij aannemen, doen de vraag rijzen of het überhaupt mogelijk is om in algemene zin iets over hun besturing te zeggen. Dit boek doet verslag van een studie naar alliantiebestuur in de praktijk. Er worden verschil-lende besturingsopvattingen besproken en de bouwstenen van alliantiebesturing worden beschreven. Ook is het mogelijk enkele 'do's and don'ts' te formuleren. Alliantiebesturing blijft daarnaast echter vragen om maatwerk.

De centrale vragen in dit boek zijn:
- Welke perspectieven op alliantiebesturing worden in de praktijk gehan-teerd?
- Wat zijn de elementen van een goed besturingsmodel?
- Hoe wordt omgegaan met de dynamiek rondom allianties?
- Hoe is alliantiebesturing verankerd in ondernemingen?

Inhoud van het boek

Figuur I.1 geeft de inhoud van het boek weer. Hoofdstuk 1 beschrijft de context van alliantievorming. De aanjagers en doelen van allianties worden besproken. Ook worden zij vergeleken met andere vormen van organiseren die de manager ter beschikking heeft. In dit hoofdstuk wordt duidelijk wat de achtergrond is van allianties, hoe zij passen in de moderne economie en welke rol ze hebben in de gereedschapskist van de ondernemer.

Hoofdstuk 2 geeft twee perspectieven op besturing weer: het control- en het trustperspectief. Bij het inrichten van alliantiebesturing kan op één van de twee perspectieven de nadruk worden gelegd. Deze twee perspectieven zijn leidend bij het invullen van de bouwstenen van besturing.

Figuur I.1: Opzet van het boek

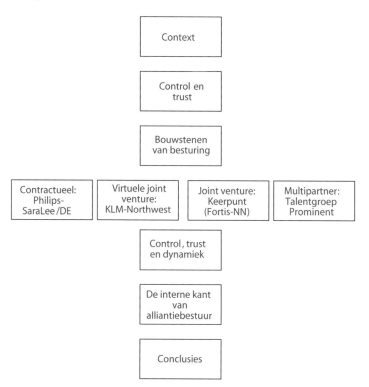

Deze bouwstenen worden in hoofdstuk 3 beschreven. De complexiteit van allianties maakt het moeilijk om besturing vorm te geven door middel van een enkel orgaan dat hen overziet. In plaats daarvan is het nodig een besturingssysteem tot stand te brengen, waarbij zowel aan formele als aan informele aspecten aandacht moet worden besteed. Hoofdstuk 3 geeft een uitgebreid overzicht van deze aspecten. In de daarop volgende hoofdstukken wordt dit overzicht gebruikt om te laten zien hoe bedrijven de verschillende elementen invullen. Bijkomend voordeel van hoofdstuk 3 is dat bedrijven het als een checklist kunnen gebruiken bij het vormgeven van het bestuur van een alliantie.

De hoofdstukken 4, 5, 6 en 7 gaan vervolgens in op verschillende besturingsmodellen die in de praktijk zijn ontstaan. De contractuele alliantie, de virtuele joint venture en de joint venture worden besproken in de hoofdstukken 4, 5 en 6. De theorie voorspelt dat de interdependentie tussen partijen groter wordt naarmate een alliantie zich van een contractuele naar een aandeelhoudersrelatie beweegt. De besturing krijgt dan meer controlelementen in zich. Hoofdstuk 7 gaat in op multipartnersamenwerking. Multipartnersamenwerking neemt toe in populariteit. Het kan zowel worden vormgegeven in een contractuele relatie als in een joint venture.

Er is opzettelijk gekozen voor een variëteit aan alliantietypen. De variëteit aan besturingsmodellen wordt zo helder. Bovendien kan door een grotere verscheidenheid te bestuderen beter worden aangegeven welke zaken specifiek zijn voor bepaalde soorten samenwerking en welke conclusies algemene geldigheid bezitten.

Er worden verschillende cases bestudeerd: Senseo (een alliantie van Philips en Sara Lee/Douwe Egberts), de KLM-Northwest alliantie, Keerpunt (een joint venture van Fortis en Nationale-Nederlanden), Talentgroep (een samenwerking van Strukton, ISS en Imtech) en Prominent (een geavanceerd samenwerkingsverband van twintig tomatentelers in het Westland). Van elke case wordt getoond hoe de formele en informele aspecten zijn ingevuld en of de control- of trustbenadering bij die invulling leidend is geweest. Opvallend is dat elk van de alliantie als precisie-instrument wordt gebruikt om samen te werken op nauw omschreven gebieden.

Op basis van de cases wordt in Hoofdstuk 8 aangegeven wanneer een controlbenadering het beste is en wanneer een trustbenadering de optimale vorm is. Dit blijkt af te hangen van onzekerheid in de markt en onzekerheid omtrent de partner. Daarnaast wordt in dit hoofdstuk ingegaan op de dynamiek in besturing. In alle bestudeerde alliantie hebben veranderingen plaatsgevonden. Eén van de essenties van goede alliantiebesturing is het omgaan met deze dynamiek. Continue onderhandeling en wederzijdse aanpassing staan hierbij centraal.

Uit alle cases blijkt ook dat alliantiebesturing diep kan ingrijpen in de samenwerkingspartners. Hoofdstuk 9 stelt daarom de vraag centraal hoe een organisatie zichzelf moet inrichten om enerzijds grip te houden op alliantie en hen anderzijds tot een succes te maken. Kennis over alliantie moet worden opgebouwd om een effectieve besturing te waarborgen.

Hoofdstuk 10 vat de belangrijkste bevindingen samen. De toenemende variëteit die de bedrijfsomgeving eist van bedrijven kan door hen worden opgelost door op specifieke gebieden gebruik te maken van het precisie-instrument van de alliantie. Maatwerk is vereist bij het ontwerpen van een samenhangend besturingssysteem. Desondanks is het mogelijk om richtlijnen te definiëren om alliantie als precisie-instrument vorm te geven.

Afbakening

Samenwerking komt voor in vele soorten en maten. Een aantal vormen van samenwerking is expliciet niet meegenomen in dit boek. Een eerste categorie van samenwerkingsverbanden die niet in het onderzoek zijn meegenomen zijn samenwerkingsverbanden waar een ongelijkwaardigheid in de relatie is ingebouwd. Minderheidsdeelnemingen van het ene bedrijf in het andere, licensing, outsourcing en ketensamenwerking zijn daarom buiten het bestek van het boek gebleven. Met name over verticale samenwerking en relaties met toeleveranciers is ook al een uitgebreide literatuur beschikbaar. In dit boek staan horizontale allianties centraal, waarbij de partners in hoge mate gelijkwaardig zijn.

Een tweede element dat buiten het boek is gelaten, zijn netwerken en de besturing van netwerken. Over de mogelijkheden en vooral de onmogelijkheden van netwerkbesturing is al het een en ander geschreven. Netwerken spelen zich echter af op een ander analyseniveau dan allianties. Zij ontstaan wanneer bedrijven zich met elkaar verbinden en daardoor ook indirecte relaties met elkaar hebben. Hier is ervoor gekozen om alleen op directe relaties te focussen. Multipartner-allianties zijn daarom wel meegenomen en bredere netwerken niet.

Een laatste belangrijk gebied dat buiten het bestek van dit boek valt, zijn alle vormen van publiek-private en publiek-publieke samenwerking. Management in de publieke sector kent zijn eigen dynamiek en eigenschappen. Anders dan bij het bedrijfsleven zijn de doelstellingen van de publieke sector vaak meervoudig, is de mogelijkheid tot vrije partnerkeuze beperkt en is besluitvorming onderhevig aan politieke in plaats van economische rationaliteit. Publiek-private samenwerking kent daarom een aparte problematiek en zij verdient daarom aparte studie.

Ondanks deze inperking is het mogelijk dat bepaalde elementen uit dit boek ook voor de hierboven genoemde vormen van samenwerking aanknopings-punten bieden. Complexe vormen van klant-leveranciersrelaties kunnen een soortgelijke besturing hebben als de allianties die in dit boek besproken worden. Allianties zijn de bouwstenen van netwerken en kennis van alliantiebesturing is daarom een belangrijke voorwaarde voor een goed begrip van netwerken. Samenwerking in en met de publieke sector heeft naast belangrijke verschillen ook belangrijke overeenkomsten met privaat-private samenwerking. Voor alle drie de gebieden die buiten dit onderzoek zijn gelaten, zijn dus hopelijk ook nuttige lessen in dit boek te vinden.

1
Allianties: een tour d'horizon

In dit hoofdstuk worden de achtergronden beschreven van alliantievorming. De aanjagers van alliantievorming en de doelen die met allianties worden nagestreefd worden geschetst. De definitie van allianties laat zien dat in de besturing van allianties gedeelde besluitvorming centraal staat. Ook wordt aangegeven wat de verschillen zijn tussen allianties en andere organisatievormen, waaruit blijkt dat besturingsvragen rondom control, coördinatie en (on)afhankelijkheid een belangrijke rol spelen bij de keuze van organisatievormen. De succespercentages van allianties geven tenslotte aan dat nog niet alle organisaties in staat zijn allianties succesvol te besturen. De vele doelen die kunnen worden nagestreefd en de dynamische omgeving waarin allianties worden toegepast, roepen de vraag op hoe besturing van allianties kan worden vormgegeven.

1.1 Ondernemen met allianties

Philips brengt samen met Douwe Egberts de Senseo op de markt; KLM voert vluchten uit met Northwest; Heineken en Krups leveren de thuistap BeerTender; Organon werkt met Pfizer aan nieuwe medicijnen; Strukton, Imtech en ISS werken samen rondom de bouw van scholen; Nationale Nederlanden en Fortis hebben een gezamenlijk re-integratiebedrijf; ID&T en Endemol werken samen bij de organisatie van dance-feesten in Duitsland; Shell werkt met Chevron, Volkswagen, DaimlerChrysler en Renault aan de ontwikkeling van synthetische brandstoffen. Dit is maar een kleine greep uit de vele voorbeelden van allianties die de afgelopen jaren in Nederland zijn aangekondigd. Er is onmiskenbaar sprake van een trend: allianties tussen bedrijven bepalen in steeds grotere mate de concurrentiekracht van organisaties.

McKinsey schatte het aantal allianties in 2000 op 36.000. Ter vergelijking: het aantal fusies en overnames bedroeg in dat jaar 42.000. Zat de groei vroeger vooral in informatietechnologie, biotechnologie en farmacie[1], in tussen zijn er veel meer sectoren met allianties bezig zoals de hierboven genoemde voorbeelden laten zien. Uit onderzoek blijkt dat in Europa en de Verenigde Staten in 2002 al meer dan 35% van de beurswaarde van bedrijven werd gegenereerd door allianties[2]. Een steeds groter deel van de waarde van bedrijven zit dus niet zozeer in de bedrijven, als wel in hun allianties. Bedrijven zijn ingebed in een netwerk van samenwerkingspartners, die van toenemend belang zijn voor hun concurrentiepositie.

De omslag van de op zichzelf staande onderneming naar de 'genetwerkte' onderneming is in de jaren tachtig van de vorige eeuw geleidelijk ontstaan. In essentie was de organisatievorm van bedrijven niet veel veranderd sinds General Motors in de jaren twintig de divisievorm introduceerde[3]. Organisaties bestonden sindsdien uit verschillende eenheden, waarbij elke eenheid een vastomlijnd marktsegment bediende en de meeste essentiële competenties en middelen in eigen huis beschikbaar had. Vergaande verticale integratie betekende dat zij in hoge mate onafhankelijk van de buitenwereld konden opereren. Latere aanpassingen aan dit systeem zoals de matrixorganisatie en business units waren in essentie aanpassingen en verfijningen van dit systeem, maar vormden geen principiële breuk ermee[4]: organisaties poogden zoveel mogelijk autonoom te zijn en ook verschillende afdelingen binnen de organisatiegrenzen zoveel mogelijk autonoom in te richten. Organiseren hield op bij de organisatiegrens; coördinatie over organisatiegrenzen heen was van ondergeschikt belang.

Deze organisatievorm functioneerde uitstekend in een wereld waarin marktsegmenten stabiel waren en economieën vooral een nationale oriëntatie hadden. Verticale integratie had grote voordelen in tijden waarin de tijdige aanvoer van grondstoffen en afvoer van producten niet altijd was gegarandeerd vanwege intransparante en illiquide markten en een imperfect transportsysteem. Om aan- en afvoer te verzekeren was verticale integratie noodzakelijk ten einde een hoge bezettingsgraad van fabrieken te garanderen[5].

In de loop van de twintigste eeuw veranderde de markt en werden de grenzen van de divisievorm en van een vergaande mate van verticale integratie zichtbaar. Internationalisering eist van bedrijven dat ze op vele plaatsen tegelijk concurreren. Toenemende welvaart maakt het consumenten mogelijk te betalen voor hen op het lijf gesneden producten, waardoor de vraag naar homogene massaproducten relatief afneemt[6]. De zappende consument deed zijn intrede. Transparante markten en verbeterd weg-, water- en luchttransport verminderden de noodzaak grondstoffen, halffabrikaten en distributiekanalen in eigendom te hebben. Concurrentiedruk dwong bedrijven zich te specialiseren, hun kerncompetenties te ontwikkelen[7] en zich voor te bereiden op horizontale concurrentie[8]. Horizontale concurrentie ontstaat wanneer niet verticaal geïntegreerde concerns met elkaar concurreren, maar specialisten op één gebied die concurreren met behulp van een netwerk van allianties met leveranciers van complementaire producten en diensten. Intel en Microsoft zijn voorbeelden hiervan. Zij richten zich op een onderdeel van een totaal product (chips respectievelijk software) en werken samen met producenten van pc's, system integrators en andere softwareproducenten om klanten een totaalpakket te bieden. Op deze manier helpt alliantievorming bedrijven om te gaan met de gewijzigde marktomstandigheden.

Al deze ontwikkelingen samen genomen, lijkt het erop dat er sprake is van de overgang naar een nieuw organisatiemodel, gebaseerd op alliantienetwerken[9]. Intensieve alliantieactiviteit kan ertoe leiden dat de meeste bedrijven in een industrietak direct of indirect met elkaar worden verbonden. Een voorbeeld hiervan is de flat screenindustrie. Figuur 1.1 geeft de allianties aan die door bedrijven in deze industrie zijn aangekondigd in 2000 en 2001. In twee jaar tijd is driekwart van de bedrijven in deze sector door allianties met elkaar verbonden geraakt, zoals aangegeven met de gestippelde lijn. In de jaren daarna is de alliantieactiviteit zo ver toegenomen, dat deze niet meer in één plaatje te vangen is.

Figuur 1.1: Allianties in de flat screenindustrie 2000-2001
Bron: Database TU Eindhoven

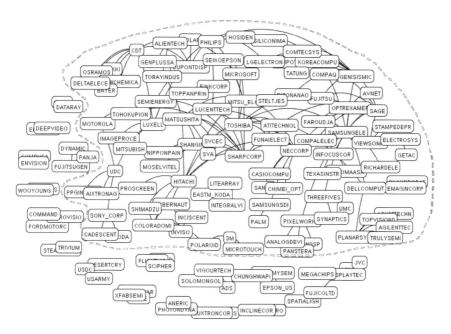

1.2 Waarom zijn allianties populair?

Natuurlijk zijn allianties niet een compleet nieuw fenomeen. Ze werden vroeger ook gebruikt. De omvang en aard van de moderne allianties verschillen echter aanzienlijk van vroeger. In meer detail kijkend, zijn er vijf deels gerelateerde aanjagers van alliantievorming, die de noodzaak voor allianties vergroten dan wel de mogelijkheden voor hen verruimen. Een eerste reden is de toenemende concurrentiedruk. Deze noopt ten eerste tot continu kostenmanagement. Samenwerking kan schaal- en scopevoordelen creëren, die een aanzienlijke kostenbesparing met zich meebrengen. Daarnaast dwingt concurrentie specialisatie af op kerncompetenties. Organisaties werken samen om nieuwe kennis te verkrijgen om hun competenties op niveau te houden en innoverend te blijven. Ook betekent toenemende specialisatie dat organisaties niet meer alle competenties in huis hebben om aan de vraag van een klant te voldoen. Daarom zoeken ze samenwerkingsverbanden met anderen om toch een compleet product te kunnen leveren. Daarnaast zetten bedrijven samenwerkingsverbanden op om concurrentie het hoofd te kunnen bieden. In de luchtvaart bijvoorbeeld zijn er nu drie concurrerende allianties: Skyteam, Oneworld en de Star Alliance.

Internationalisering en liberalisering zijn de tweede reden voor de toename van alliantievorming. Bedrijven die zich in een ander land op de markt willen gaan begeven, doen dit vaak met behulp van een lokale partner. Soms wordt dit door overheden geëist, maar vaak is het ook zinvol om gebruik te maken van een partner die de lokale consumenten, distributiestructuren en regelgeving kent. Zo heeft ING een aantal joint ventures in China onder meer om daar levensverzekeringen te verkopen. Liberalisering van handel geeft een impuls aan internationalisering en draagt daardoor indirect bij aan de groei van alliantievorming. Liberalisering binnen landen heeft geleid tot nieuwe samenwerkingsverbanden in onder meer de energiesector, de telecom en de zorg.

De derde aanjager van alliantievorming is individualisering van markten[10]. Deze doet zich niet alleen voor op consumentenmarkten. Bedrijven zijn ook in toenemende mate op zoek naar op maat gemaakte oplossingen ('solutions' in IT-termen) voor hun problemen. In de IT-sector is dit de achtergrond van zeer vele samenwerkingsverbanden. Bedrijven die hun IT-infrastructuur willen vernieuwen of uitbreiden, hebben daartoe niet alleen computers, maar ook routers, servers, databases, opleidingen en implementatiekracht nodig. Daarom werken softwarehuizen samen met consultants en hardwareproducenten om gezamenlijk voor een individuele klant een totaaloplossing te kunnen bieden. Atos partnert daarom met onder meer Cisco, Lucent en SAP. Ook individualisering van de vraag bevordert samenwerking: in de auto-industrie is bijvoorbeeld gebleken dat een systeem van samenwerking tussen een producent en zijn toeleveranciers beter kan inspelen op fragmenterende markten dan verticaal geïntegreerde bedrijven of bedrijven die via marktrelaties proberen aan klantenwensen tegemoet te komen[11]. De vele opties die autokopers tegenwoordig wensen zijn niet rendabel door één producent te leveren, maar door samenwerkingsverbanden met gespecialiseerde leveranciers lukt dit wel.

Snelle technologische ontwikkeling is voor een aantal industrietakken, met name in de IT en de biotech, een belangrijke aanjager van alliantievorming. Technologische vernieuwing en innovatie werden al vroeg als aanjager van samenwerking onderkend[12]. Het is voor veel bedrijven eenvoudigweg niet meer mogelijk om in alle mogelijke technologieën zelf te investeren. Er zijn te veel technologieën in de markt aanwezig en elk van die technologieën ontwikkelt zich snel. Bedrijven staan dan voor een keuze: stoppen ze hun geld in één technologie, die ze dan volledig in eigendom hebben maar waarmee ze het risico lopen dat hun technologie geen winnaar blijkt of investeren ze in een groot aantal technologieallianties, waarbij ze dan misschien de opbrengsten met anderen moeten delen, maar wel zeker zijn dat ze toegang hebben tot een groot arsenaal van technologieën? Het farmaceutische bedrijf Eli Lilly heeft er zelfs voor gekozen om alleen allianties te gebruiken voor innovatie en geen fusies of overnames. Voor de prijs van één overname kan Eli Lilly diverse allianties opzetten en daardoor toegang krijgen tot een veel groter aantal technologieën. Hoe groter de technologische turbulentie, hoe eerder voor het laatste wordt gekozen. In plaats van technologie te ontwikkelen in gesloten laboratoria ontstaat een model van open innovatie[13], waarbij partijen met elkaar samenwerken aan technologieontwikkeling.

Tenslotte spelen ontwikkelingen op organisatiekundig gebied een rol. Er komt steeds meer inzicht in management van allianties. Over de afgelopen jaren zijn er diverse nieuwe methoden en technieken ontwikkeld om allianties vorm te geven[14]. Voorbeelden hiervan zijn partnerselectiemodellen, het gebruik van scorecards voor allianties, het ontstaan van gespecialiseerde alliantiemanagementafdelingen in bedrijven, zoals het Alliance Office van Philips. Ook de beroepsvereniging van alliantiemanagers, de Association of Strategic Alliance Professionals, zet zich in voor verdere professionalisering van het vakgebied. Deze organisatiekundige ontwikkelingen stellen bedrijven steeds beter in staat samenwerking te managen, wat het gebruik van allianties weer stimuleert. Alliantievorming krijgt daardoor ook een eigen momentum. Grote alliantiesuccessen stimuleren de zichtbaarheid en het gebruik van partnerships. Zij brengen bedrijven die terughoudend waren op alliantiegebied op het idee op zoek te gaan naar creatieve vormen van samenwerking. Tenslotte spelen ook andere ontwikkelingen op managementgebied een rol, zoals kerncompetentiedenken, outsourcing, de lerende organisatie en open innovatie. Deze dragen ook bij aan een toenemende aandacht voor externe vormen van samenwerking. Allianties zijn dus geen op zichzelf staande trend. Ze hangen samen met andere ontwikkelingen op ondernemingsgebied.

1.3 Welke doelen kunnen met allianties worden bereikt?

Uit deze aanjagers volgen logischerwijs ook de doelen die bedrijven nastreven met alliantievorming (figuur 1.2). Een eerste doel is verhogen van efficiency. Prominent, een coöperatieve vereniging van tomatentelers, bundelt bijvoorbeeld onder meer de inkoop van de leden. De gezamenlijke inkoop maakt het mogelijk om lagere prijzen te bedingen bij leveranciers. Het verkrijgen van toegang tot nieuwe markten of nieuwe marktsegmenten is een tweede doel dat bedrijven kunnen nastreven door allianties. Albert Heijn werkte met benzinestations samen om een nieuw marktsegment aan te boren: dat van de druk bezette Nederlander die onderweg nog even wat te eten wil kopen. Een derde samenwerkingsdoel is voldoen aan specifieke klantenwensen c.q. het leveren van oplossingen aan klanten. De Talentgroep waarin Strukton, ISS en Imtech samenwerken, levert

Figuur 1.2: Aanjagers en doelen van alliantievorming

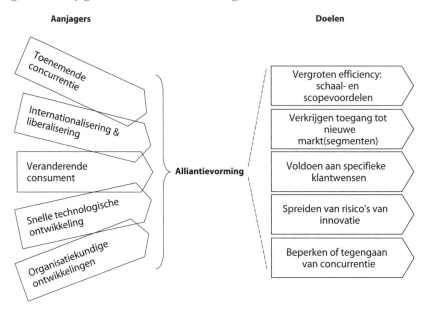

totaaloplossingen voor de bouw en exploitatie van scholen. Gemeenten hoeven niet meer verschillende leveranciers te benaderen wanneer zij een school willen bouwen, maar kunnen bij één loket de bouw, het onderhoud en de exploitatie regelen. Als vierde doel geldt het spreiden van risico's van R&D en innovatie. Daarbij gaat het niet alleen om het delen van kosten, maar ook om het verkrijgen van toegang tot nieuwe kennis. Organon en Pfizer werken samen aan de ontwikkeling van een nieuw medicijn tegen schizofrenie en manische depressiviteit. De laatste ontwikkelingsfasen worden gezamenlijk uitgevoerd en vervolgens zullen ze samen het medicijn in de markt zetten. Een ander element van technologische ontwikkeling is het zetten van standaarden: door samenwerking wordt de kans dat een standaard geaccepteerd wordt in de markt groter. Sony, Philips, Dell en anderen werken aan de Blu-ray standaard voor DVD. Door hun gezamenlijke kennis en marktmacht hopen ze concurrenten zoals Toshiba af te troeven. Het vijfde en laatste doel is het beperken van of het hoofd bieden aan concurrentie. Samenwerking kan een manier zijn om overcapaciteit terug te brengen. In de scheepvaart zijn allianties ontstaan om de sector te rationaliseren door routes te herstructureren, schepen op te leggen of diensten op te heffen. The New World Alliance en de Grand Alliance (met o.a. P&O Nedlloyd, Hapag Lloyd en NYK) zijn hier voorbeelden van. Naast deze defensieve vorm van samenwerken kan samenwerking ook offensief worden ingezet. Een voorbeeld hiervan is de Freemove alliantie van T-Mobile, Orange, Telefónica Móviles en Telecom Italia Mobile, die erop gericht is de dominante positie van Vodafone in Europa aan te vallen.

Allianties kunnen aan deze doelstellingen bijdragen doordat zij drie mogelijkheden bieden. De eerste is de mogelijkheid van het combineren van competenties. Door kennis te combineren met de kennis van een ander bedrijf kan het innovatiepotentieel worden verhoogd. De Senseo is hier een voorbeeld van. Een tweede mogelijkheid is dat in allianties capaciteit wordt gecombineerd zodat schaalvoordelen worden behaald of grotere risico's kunnen worden gelopen dan wanneer een bedrijf op zichzelf opereert. Tenslotte kunnen partners door samen te werken hun macht vergroten en op die manier concurrentie het hoofd bieden. Combinatie van competenties, combinatie van capaciteit en combineren van macht zijn dus de manieren waarop alliantiedoelen kunnen worden bereikt.

1.4 Allianties gedefinieerd

Onder alliantie wordt hier verstaan een privaat samenwerkingsverband tussen één of meer onafhankelijke ondernemingen, dat voldoet aan de volgende criteria:
- Er is een gezamenlijk doel. Partners werken samen om een bepaald doel te bereiken en hebben daar elkaar voor nodig. Overlap in de doelstellingen van de betrokken ondernemingen is noodzakelijk om een alliantie van de grond te krijgen. Er is ook sprake van complementariteit en synergie: de ene partner kan het doel niet tijdig bereiken zonder de ander.
- Er zijn gezamenlijke risico's, kosten en opbrengsten, waarbij deze laatsten worden verdeeld naar proportie van de kosten en risico's. Wanneer een partner in een alliantie 80% van de kosten maakt, maar slechts 10% van de opbrengst krijgt, is er geen sprake van een proportionele verdeling van de opbrengsten. Voor iedere partner moet er een redelijke verhouding zijn tussen de kosten en de baten. Het woord 'gezamenlijk' hoeft niet te betekenen dat de alliantie één winst- en verliesrekening heeft. Het gaat erom dat elke partner opbrengsten, kosten en risico's heeft die zonder de alliantie niet zouden zijn gegenereerd. Er moet dus sprake zijn van afhankelijkheid en synergie.
- Er vindt regelmatig daadwerkelijke samenwerking plaats tussen de partners (input van beiden is tegelijkertijd nodig). Licentieovereenkomsten waarbij eenmalig technische specificaties worden uitgewisseld en partners verder hun eigen weg gaan, voldoen niet aan deze eis.
- Er is sprake van gezamenlijke besluitvorming. De ene partij legt niet doorlopend aan de andere(n) zijn wil op, maar besluiten worden in gezamenlijkheid genomen. Er hoeft geen volmaakte democratie te zijn, maar er is in ieder geval geen sprake van eenzijdige besluitvorming. Gezamenlijke besluitvorming is essentieel in allianties omdat zij zijn gebaseerd op incomplete contracten[15]. In contracten kan niet met alle mogelijke omstandigheden rekening worden gehouden en bedrijven hebben ook niet automatisch dezelfde belangen in een alliantie. Partijen moeten daarom bereid zijn gezamenlijk besluiten te nemen en compromissen te sluiten om met onvoorziene omstandigheden om te gaan.

Binnen deze afbakening kunnen allianties nog altijd vele vormen aannemen. Figuur 1.3 geeft de meest voorkomende samenwerkingsvormen weer, van links naar rechts gerangschikt op toenemende wederzijdse afhankelijkheid. Aan de linkerkant bevinden zich markttransacties waarbij in het geheel geen samenwerking plaatsvindt. Elke koper-verkoper relatie valt hieronder. Eenvoudige vormen van uitbesteding liggen vaak dicht tegen markttransacties aan en zijn dus geen allianties. In modernere vormen van uitbesteding wordt de laatste jaren wel aandacht besteed aan samenwerking. Zo bleek dat het uitbesteden van IT-diensten niet altijd effectief was, doordat er te weinig samenwerking tussen de partners was. Tegenwoordig wordt IT-outsourcing meer als alliantie vormgegeven, soms zelfs in een aparte joint venture waarvan de uitbesteder en de uitvoerder beiden aandeelhouder zijn. Dit moet ertoe bijdragen dat de partners elkaar beter leren kennen, zodat beter kan worden ingespeeld op de behoefte van de uitbestedende partij. De volgende samenwerkingsvorm, licenties, is in de meeste sectoren ook een soort koopovereenkomst. Zij vallen daarom ook niet onder het begrip alliantie. Aan de rechterkant van figuur 1.3 staan fusies en overnames. Dit zijn ook geen allianties, omdat de partners bij fusie of overname hun zelfstandigheid verliezen.

Figuur 1.3: Verschillende samenwerkingsvormen

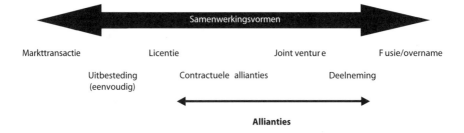

Allianties vormen het grijze gebied tussen de losse samenwerkingsvormen uitbesteding en licentie enerzijds en de fusie/overname anderzijds. De belangrijkste basistypen van allianties zijn joint ventures en contractuele allianties. In een joint venture zetten partners gezamenlijk een nieuwe onderneming op waarbij elk voor een bepaald percentage eigenaar wordt van die onderneming. Een voorbeeld is Keerpunt: een re-integratiebedrijf dat voor de helft in handen is van Nationale-Nederlanden en voor de andere helft van Fortis. De NAM, voor de helft eigendom van Shell en voor de andere helft van Exxon, is een ander voorbeeld. Sommige auteurs en bedrijven gebruiken het begrip joint venture breder en vatten daaronder ook contractuele allianties. Er is dus een zekere spraakverwarring.

Verreweg de meeste allianties zijn contractueel van aard en leiden niet tot een vorm van aandeelhouderschap. Heineken en Krups brengen samen de Beer-Tender als thuistap op de markt, maar zij hebben geen aandelen in elkaar en er is geen apart bedrijf voor de BeerTender opgericht. Er is uitsluitend sprake van contractuele afspraken. Aangezien de inhoud van contracten vrij is, is er een oneindige hoeveelheid aan afspraken mogelijk. Dit is ook de kracht van de contractuele alliantie: er kunnen afspraken worden gemaakt die precies op het lijf geschreven zijn van de samenwerkingspartners. Daardoor ontstaan er veel verschillende typen allianties, die elk hun eigen unieke vorm van besturing kennen. Vandaar dat alliantievorming zo'n veelvormig verschijnsel is.

1.5 Alleen of samen?

Het laatste punt van de definitie, de gezamenlijke besluitvorming, geeft een belangrijk verschil aan met andere organisatievormen. Besturing van allianties vindt plaats in gezamenlijkheid. Traditionele besturingsmethoden gaan daarentegen uit van eenhoofdig leiderschap. De mate van afstemming, control en onafhankelijkheid is daarom een belangrijker thema bij alliantiebesturing dan bij andere organisatievormen.

Wanneer een organisatie toegang wil krijgen tot bepaalde kennis of middelen, kan zij ervoor kiezen alleen verder te gaan of samen met een partner een toekomst op te bouwen. De optie alleen verdergaan houdt in dat de organisatie kennis op de markt inkoopt of zelf binnenshuis opbouwt. De optie om samen verder te gaan kan worden vormgegeven via een alliantie of een fusie of overname. Het is niet altijd eenvoudig een keuze te maken tussen deze hoofdvormen. Tabel 1.1 poogt de verschillende voor- en nadelen van alternatieve organisatievormen ten opzichte van allianties in kaart te brengen. Dit geeft enige houvast bij de keuze van organisatievorm. Hoewel deze tabel dus richtlijnen geeft, blijkt de praktijk vaak weerbarstig. Hier zijn dus slechts de hoofdlijnen geschetst.

Tabel 1.1: Voor- en nadelen van alternatieve organisatievormen ten opzichte van allianties[16]

	Voordeel ten opzichte van alliantie	**Nadeel ten opzichte van alliantie**
Markttransactie	Geen kosten opzetten alliantie Sneller wisselen van leverancier Kleinere afhankelijkheid van partner	Slechtere afstemming met partner Minder control op partner Inkoopkosten Informatieasymmetrie
Autonoom ontwikkelen	Volledige control en onafhankelijkheid Opbrengsten hoeven niet gedeeld Geen integratieproblemen Geen informatieasymmetrie	Lagere snelheid Meer investeringen nodig om doel te bereiken Flexibiliteit gering
Fusie/overname	Volledige control Kritieke massa Opbrengsten hoeven niet gedeeld	Integratieproblemen groter Hoge kosten Lagere snelheid Geen focus 'Indigestibility' Flexibiliteit gering Informatieasymmetrie

Markttransacties hebben als voordeel boven allianties, dat zij geen kosten met zich meebrengen voor het opzetten van een alliantie. Deze kosten kunnen aanzienlijk zijn. Daarnaast is het bij markttransacties makkelijker om te wisselen van leverancier dan bij allianties om te wisselen van partner. De afhankelijkheid van de partner is bij markttransacties ook kleiner. Daar staat tegenover dat bij markttransacties geen afstemming en coördinatie plaatsvindt, zodat mogelijke voordelen van nauwere samenwerking niet kunnen worden gerealiseerd. Control van wat een partner doet is geheel afwezig. Markttransacties brengen weliswaar geen kosten met zich mee voor het opzetten van een alliantie, maar er worden wel inkoopkosten gemaakt. Tenslotte is er sprake van een hoge mate van informatieasymmetrie in vergelijking met allianties: de koper weet van tevoren niet altijd precies wat hij koopt, welke kwaliteit een product of dienst heeft. De verkoper heeft die informatie wel en kan daar dus voordeel uithalen, bijvoorbeeld door een te hoge prijs te vragen voor iets van lage kwaliteit. De slechte reputatie van tweedehandsautohandelaren rust op dit principe: de handelaar weet wat hij verkoopt, de koper kent de auto niet en dus is er ruimte voor de handelaar om een hogere prijs te vragen dan gerechtvaardigd is. Doordat partners in een transactie elkaar niet kennen, is het bestaan van informatieasymmetrie zeker bij complexere producten of diensten een belangrijk nadeel. Markttransacties zijn dan ook vooral geschikt voor minder belangrijke, standaardproducten en diensten, waar verschillende leveranciers voor zijn.

Het grote voordeel van autonome opbouw van kennis en middelen in het eigen bedrijf boven allianties is dat een organisatie daar complete controle over heeft. Er hoeven daarom geen opbrengsten te worden gedeeld met partners: alle inkomsten die de opgebouwde kennis opleveren zijn voor de eigen organisatie. Er doen zich ook geen integratieproblemen voor. Wanneer twee partners gaan samenwerken, moeten de organisatie op elkaar worden afgestemd. Door verschillen in werkwijzes, procedures en bedrijfsculturen is dit vaak moeilijk. Tenslotte geeft autonomie een volledig inzicht in alle kennis en middelen, zodat geen sprake is van informatieasymmetrie. Tegenover deze plussen staan als minnen genoteerd dat autonome opbouw vaak langzamer gaat dan wanneer van de middelen van een partner gebruik wordt gemaakt, dat de investeringen vaak hoog zijn en dat de flexibiliteit gering is. Ten aanzien van dit laatste geldt bijvoorbeeld dat werknemers, machines of gebouwen, niet eenvoudig weer kunnen worden afgestoten. De opbouw van kennis binnenshuis verdient de voorkeur wanneer het gaat om kennis die deel uitmaakt van een kerncompetentie, wanneer er voldoende tijd is voor kennisopbouw, wanneer de waarde van de kennis moeilijk te bepalen is bij inkoop ervan op de markt en wanneer de markt voor die kennis stabiel is.

Net als bij autonome ontwikkeling, heeft fusie en overname het voordeel van complete control en het voordeel dat alle gegenereerde waarde binnen de grenzen van een onderneming blijft. Daarnaast heeft fusie/overname als voordeel dat er een kritieke massa tot stand kan worden gebracht, die zich kan vertalen in grotere marktmacht. Nadelen van fusie en overname zijn er ook. Integratieproblemen zijn vaak enorm, de kosten zijn hoog, de snelheid is vaak lager dan bij allianties omdat fusies omvangrijk zijn. Bovendien zitten er bij elke fusie tussen twee bedrijven ook bedrijfsonderdelen bij die eigenlijk niet interessant zijn voor de gefuseerde combinatie en die later moeten worden afgestoten. Het Leidse biotechnologiebedrijf Crucell nam in 2006 Berna Biotech over. Onderdeel van dit bedrijf was Rhein Biotech, dat Crucell niet hebben wilde. Rhein Biotech moest later dat jaar dus weer aan een derde worden verkocht. In allianties kan altijd gefocust worden op een bepaald bedrijfsonderdeel in plaats van op de totale onderneming. Ook kan een overnemende partij een overgenomen bedrijf vaak moeilijk 'verteren'. Hoe groter de fusie of overname, hoe moeilijker het wordt om een nieuwe eenheid te smeden. Dit staat bekend als het 'indigestibility' probleem. Tenslotte is de flexibiliteit van fusies gering en speelt ook hier het informatieasymmetrie argument: het is zelden duidelijk wat de boedel van de partner nu precies waard is. Fusies en overnames zijn vooral nuttig wanneer control nodig is en wanneer bedrijven veel op elkaar lijken, bijvoorbeeld wanneer marktmacht en schaalvoordelen van belang zijn. Ze hebben vaak betrekking op het combineren van productiecapaciteit bij een geringe onzekerheid in de markt. Ze vinden vaker plaats binnen de competentiegebieden van een onderneming, terwijl voor toegang tot nieuwe competenties allianties worden gebruikt.

Uit het voorgaande volgt dat allianties met name relevant zijn wanneer flexibiliteit en coördinatie tegelijk van belang zijn en wanneer focus op specifieke competenties/middelen van de partner vereist is. Dit doet zich vaak voor in dynamische markten. Verderop in dit boek wordt nog in meer detail ingegaan op de keuze tussen contractuele allianties versus joint ventures. In ieder geval is duidelijk dat allianties geen panacee zijn voor alle kwalen. Waarschijnlijk zijn het de bedrijven die het best weten wanneer ze welke vorm van organiseren moet toepassen, die een concurrentievoordeel behalen.

Uit de tabel blijkt dus dat vraagstukken rondom coördinatie, control en (on)afhankelijkheid een belangrijke rol spelen. Dit komt doordat allianties juist op deze elementen onderscheidend zijn van de andere organisatievormen. Waar bij de andere organisatievormen het mijn en dijn helder is af te bakenen, is dat bij allianties niet het geval. Daar is sprake van gedeelde control en besluitvorming. Daarom vragen allianties ook om een ander besturingsconcept, waarbij hiërarchie minder centraal staat en horizontaal samenwerken belangrijker wordt.

1.6 Succes en falen van allianties

Het feit dat allianties niet bestuurd kunnen worden zoals andere organisatievormen vraagt bedrijven na te denken over welke besturingsvorm dan wel geëigend is. Zij dienen de juiste kennis in huis te hebben om allianties te besturen. Dit blijkt ook uit een overzicht van alliantiesucces en falen.

Veel allianties mislukken. Het is overigens niet eenvoudig alliantiesucces te meten. Omdat ze verschillende doelen kunnen hebben, is het niet makkelijk één meetbaar criterium voor succes te vinden dat voor alle allianties geldt. Ook de levensduur van allianties is geen goede indicator, omdat ze veelal worden opgezet voor een beperkte tijd. Daarnaast zijn ze zelden een totale mislukking of een compleet succes. Vele zitten tussen succes en mislukking in. Een geïnterviewde manager van een joint venture die was beëindigd zei hierover: 'Het was niet het succes dat we gehoopt hadden, maar ook niet een complete mislukking. Toch is onze joint venture beëindigd. We gebruiken echter nog wel de kennis die we in de joint venture hebben ontwikkeld in de rest van onze business'. Voor onderzoeksdoeleinden blijken de inschattingen van managers van het succes van hun alliantie en de reactie van de beurskoers van de partners op de aankondiging van een alliantie goede indicatoren voor alliantiesucces te zijn. Onderzoek heeft laten zien dat deze beide indicatoren van succes, betrouwbare resultaten opleveren[17].

Ongeveer de helft van de allianties mislukt. Dit is nog altijd beter dan de slaag-kans van fusies en acquisities (ongeveer 30%) en interne reorganisaties (volgens een recent onderzoek 20%), maar toch is het een verspilling van tijd en geld dat vijftig procent van de samenwerkingsverbanden niet aan de verwachtingen voldoet. Interessant is echter dat bedrijven een grote spreiding in hun alliantie-succes hebben. Figuur 1.4 laat de resultaten zien van een onderzoek onder 150 ondernemingen. Alliantiemanagers is gevraagd het succespercentage van hun bedrijf in te schatten. Ongeveer 15% van de ondernemingen geeft aan dat bijna al hun allianties een succes worden (slaagkans van meer dan 80%). Daarnaast is er een bijna even grote groep aan bedrijven die bijna alleen maar missers hebben (slaagkans van allianties kleiner dan 20%).

Figuur 1.4: Slaagpercentages allianties[18]

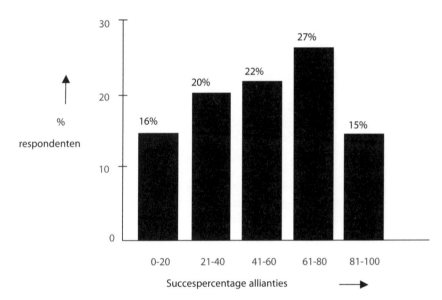

Het is interessant om te zien wat de oorzaak is van deze verschillen in slaag-percentages. Als eerste blijkt dat organisaties die meer ervaring hebben met allianties, succesvoller zijn dan organisaties die nog weinig ervaring hebben. Blijkbaar leren organisaties allianties te managen door het te doen. De tweede belangrijke oorzaak die het verschil in prestatie verklaart, is de management-kennis van de organisatie. Naarmate een organisatie meer kennis heeft over alliantiemanagement, meer specifiek voor allianties ontwikkelde management-technieken heeft geïmplementeerd en meer deskundig personeel in huis heeft, gaat het succespercentage omhoog. Door te leren en bewust kennis op te bouwen, verbeteren de slaagpercentages. De alliantievaardigheid[19] van de organisatie, bestaande uit ervaring en formele managementtechnieken, is een belangrijke verklarende factor voor alliantiesucces. Alliantiebesturing kent dus blijkbaar ook een interne component.

1.7 Samenvatting en implicaties voor alliantiebestuur

De voorgaande tour d'horizon maakt duidelijk dat allianties een steeds grotere rol spelen: bedrijven gaan meer allianties aan en doen dit op allerlei gebieden. Alliantievorming is geen op zichzelf staande trend, maar wortelt in een bredere verandering van de economie: die van een industriële naar een kenniseconomie. Kennisontwikkeling, het combineren van kennis en het overdragen van kennis is een belangrijke reden voor alliëren. Ook kunnen allianties vaak goed inspelen op de organisatorische flexibiliteit die de kenniseconomie vraagt.

Tegelijkertijd laten de recentere trends van allianties en de lage succespercentages zien dat de ontwikkelingen op dit gebied nog niet zijn voltooid. Naarmate de ontwikkelingen op alliantiegebied voortgaan, doen zich ook nieuwe vragen voor met betrekking tot de aard van de onderneming. In bestaande besturingsmodellen van organisaties is altijd uitgegaan van een centrale leiding, hiërarchische aansturing en afgebakende juridische eenheden. Bij allianties is sprake van gedeelde leiding, gelijkwaardigheid van partners en een onduidelijkere afbakening van de grens van de organisatie.

Er zijn verschillende bestuursvormen van allianties, waarbij de contractuele alliantie en de joint venture de basisvormen zijn. Een vergelijking van allianties met andere vormen liet zien dat besturingselementen een belangrijk element vormen bij de keuze tussen alliëren, fuseren, inkopen of zelf iets opbouwen.

De succespercentages en de verschillen in succes tussen bedrijven maken duidelijk dat bedrijven deze nieuwe vorm van besturen moeten leren. Wanneer er geen centrale leiding meer is, hoe vindt dan aansturing en besluitvorming plaats? Hoe houden bedrijven grip op de waarde die zij creëren met partners? Hoe kunnen ze medewerkers motiveren waarde in allianties te creëren? Hoe wordt voorkomen dat de partner opportunistisch gedrag vertoont? Hoe kan er toch een systeem van verantwoording afleggen worden ingevoerd? Wat moet er intern in bedrijven veranderen om succesvol allianties te kunnen besturen? Als laatste: wanneer allianties worden toegepast in een dynamische kenniseconomie, welk impact heeft dat dan op alliantiebesturing? Leidt dit ook tot dynamiek in allianties en zo ja, hoe wordt daar mee omgegaan?

Noten

1   Roijakkers, 2003
2   De Man en Duysters, 2002
3   Chandler, 1962
4   Bartlett and Ghoshal, 1993
5   Chandler, 1990
6   Van Asseldonk, 1998
7   Prahalad en Hamel, 1990
8   Yoffie, 1997

9   De Man, 2004a
10 Van Asseldonk, 1998
11 Dyer, 2000
12 Wissema en Euser, 1988; Hagedoorn, 2002
13 Chesbrough, 2003
14 Draulans et al., 2003; De Man, 2005
15 Gomes-Casseres, 1996
16 De tabel en de gerelateerde bespreking zijn samengesteld op basis van diverse auteurs waaronder Douma, 1997; Dyer et al., 2004; Reuer, 1999; Williamson, 1985, Lynch, 2001
17 Kale, et al., 2002
18 De Man, 2005
19 Draulans et al., 2003; Spekman en Isabella, 2000

2
Alliantiebestuur: control en/of trust?

Sara Lee/Douwe Egberts en Philips werken intensief samen rondom Senseo, het nieuwe concept voor koffiezetten. Tegelijkertijd blijven beide onafhankelijk. De partners beseffen dat zij enerzijds grip moeten houden op hun samenwerking om een eenduidig product in de markt te kunnen zetten en om de productie en marketing af te stemmen. Anderzijds moet optimaal worden geprofiteerd van de kerncompetenties van elk van de partners om innovatie te stimuleren. Om dit bereiken zijn juist ook de verschillen tussen partners van belang. Hoe balanceren de twee partners de behoefte aan control van de relatie met de onafhankelijkheid van de partners? Invoering van te veel strakke regels kan de innovatie beperken, terwijl met te weinig grip op elkaar het risico bestaat dat het Senseo-concept verwatert. De partners zullen elkaar dus voor een deel moeten vertrouwen en voor een deel control moeten uitoefenen.

Veel managers hebben moeite met het feit dat zij geen complete control over een samenwerkingsverband hebben. 'Ik wil geen allianties meer, omdat ik er geen control op heb', is een vaak gehoorde opmerking. In allianties zijn nieuwe vormen van control van belang. Er zal echter ook altijd voor een deel op partners moeten worden vertrouwd en geven en nemen is een vast onderdeel van alliantiebestuur.

Het vinden van de juiste balans tussen control en trust is een kernvraagstuk van alliantiebesturing. De keuze voor een benadering waarin een alliantie strak wordt aangestuurd versus een benadering waarin een alliantie meer vrijheid wordt gegeven, is een van de belangrijkste keuzes die managers moeten maken bij het vorm geven van de besturing. Alleen wanneer duidelijk is welke mate van control en trust nodig is, kan een besturingsmodel gedetailleerd worden ingevuld.

Net als bij corporate governance[1] kunnen allianties dus via een control- of een trustbenadering worden aangestuurd. Besturing van allianties kent echter een aantal bijzondere problemen in vergelijking met bedrijfsbestuur. Dit hoofdstuk schetst die problemen en geeft aan hoe binnen een control- en een trustbenadering met deze problemen wordt omgegaan. Voor- en nadelen van de twee benaderingen worden geschetst. Dit vormt de opmaat voor een gedetailleerde bespreking van de operationele aspecten van alliantiebesturing in hoofdstuk 3. Uiteindelijk zal op basis van de cases duidelijk worden, hoe de balans tussen control en trust in de praktijk kan worden vormgegeven.

2.1 Wat is er bijzonder aan alliantiebestuur?

Alliantiebestuur vergt apart aandacht omdat bestuursconcepten van interne organisaties niet direct toepasbaar zijn op allianties. Enigszins chargerend kan gesteld worden dat besturing in organisaties is gebaseerd op het idee van een eenhoofdige leiding die zelfstandig de strategie ontwikkelt en deze doorvertaalt naar de rest van de organisatie. In allianties is er echter geen sprake van een eenhoofdige leiding: er wordt vanuit verschillende bedrijven leiding of sturing gegeven. Alliantiebestuur moet daarom oplossingen bieden voor de volgende problemen:

- dynamiek. Het aangrijpingspunt van besturing, de doelstelling of strategie van de alliantie, wordt door twee partijen vastgesteld die niet automatisch gelijkgerichte belangen hebben. Dit betekent dat omgevingsveranderingen en aanpassingen aan een alliantie voor de ene partner voordeliger kunnen uitvallen dan voor de andere partner, wat de stabiliteit kan ondermijnen. Voor besturing houdt dit in dat partners zich rekenschap moeten geven van het belang van de ander en niet alleen hun eigen business kunnen optimaliseren. In de Talentgroep, een alliantie van diverse partijen gericht op de bouw van scholen, is bouwbedrijf Strukton de centrale speler. Toch neemt Strukton geen eenzijdige beslissingen omdat dat de alliantie zou ondermijnen.
- hiërarchie ontbreekt. In allianties is er meestal geen eenhoofdige leiding, maar vormen vertegenwoordigers van de partners de leiding. Er is dus uiteindelijk geen hogere macht die beslissingen kan nemen, besluiten doordrukken of conflicten kan oplossen. In joint ventures is dit meestal niet anders. Ook daar kunnen er meerhoofdige directies zijn, waarbij elk directielid informeel een partner vertegenwoordigt. Ook kan de Raad van Commissarissen uit vertegenwoordigers van de partners bestaan.
- incompatibele bestuursstructuren van de partners. Afstemming tussen bedrijven heeft als extra hindernis dat de bestuursstructuren van de partners meestal niet compatibel zijn. In de Senseo-alliantie heeft Sara Lee/DE een gedecentraliseerde landenstructuur, terwijl Philips de besluitvorming rondom Senseo heeft gecentraliseerd in één unit. Daardoor lopen de besluitvormingsprocedures anders. Dit is iets voor de partners om rekening mee te houden.
- opportunisme. Opportunisme wordt rondom allianties gedefinieerd als 'self-interest seeking with guile'[2]: op een kwaadaardige manier het eigenbelang voorop stellen door te liegen, stelen en bedriegen. Partners in een alliantie hebben de kans om elkaar te benadelen. In dat kader omschreef Ambrose Bierce in zijn beruchte Devil's Dictionary een alliantie in de internationale

politiek dan ook als 'the union of two thieves who have their hands so deeply inserted in each other's pockets that they cannot separately plunder a third'. De kans op opportunistisch gedrag is bij allianties groter dan bij interne organisaties en de schade is in potentie groot. Het is vaak lastig opportunistisch gedrag van een partner tijdig te ontdekken en een partner erop aan te spreken.

- tijdelijkheid. Allianties zijn meestal van tijdelijke aard. Deze eigenschap heeft onder meer tot gevolg dat een alliantie bij voorkeur eenvoudig te ontvlechten moet zijn. Onomkeerbare beslissingen maken uit elkaar gaan moeilijk. Tegelijkertijd is integratie noodzakelijk om van samenwerking te kunnen profiteren. Een goede bestuursstructuur moet dat spanningsveld oplossen. Een tweede gevolg van tijdelijkheid is dat afspraken over de boedelscheiding moeten worden gemaakt. Kapitaal, kennis en merken die in allianties zijn opgebouwd, dienen na beëindiging immers over de partners te worden verdeeld.

Deze bestuursvragen zijn gekoppeld aan de alliantierelatie. Daarnaast zijn er bestuursvragen die bij elk van de partners intern spelen. Om maar enkele vragen te noemen:

- Welke interne besluitvormingsprocedures zijn er rondom allianties?
- Is decentralisering van bevoegdheden noodzakelijk om besluitvorming in allianties soepeler te laten verlopen?
- Hoe wordt de alliantie intern vormgegeven? Wordt er een aparte unit voor opgericht of wordt zij in de lopende business meegenomen?
- Hoe worden alliantiemanagers aangestuurd? Alliantiemanagers bewegen zich op het grensvlak van organisaties. Zij kunnen een dubbele of zelfs drievoudige loyaliteit hebben: aan de eigen organisatie, aan de alliantie en aan de partner(s). Om te voorkomen dat zij in een onmogelijke positie komen te verkeren, moet helder worden gemaakt hoe zij worden afgerekend.
- Hoe kan een eenduidige aanpak van alliantiebestuur worden gerealiseerd over het hele portfolio van samenwerkingsverbanden van een organisatie?

De literatuur over bestuur onderscheidt grofweg twee benaderingen om met deze vraagstukken om te gaan. De eerste methode is de controlbenadering. De tweede methode is de trustbenadering. In tabel 2.1 worden zij vergeleken. Het is van belang te begrijpen dat de ene benadering niet noodzakelijk beter is dan de andere. Er zijn goede redenen voor het uitoefenen van control en er zijn goede redenen voor het volgen van een trustbenadering. Er is hier dus geen sprake van normatieve concepten. Later in dit hoofdstuk en in hoofdstuk 8 wordt nader ingegaan op de omstandigheden waaronder het aanbeveling verdient één van deze benaderingen te volgen. Soms is een nadruk op control beter, soms een nadruk op trust.

Tabel 2.1: Twee benaderingen van alliantiebestuur

	Controlbenadering	Trustbenadering
Besturingsprobleem	Hoe opportunisme van de partner te voorkomen? Hoe houd ik grip op mijn werknemers in de alliantie?	Hoe kunnen verschillen tussen partners worden benut en overbrugd? Hoe motiveer ik mijn mensen aan de alliantie bij te dragen?
Aanname	Conflicterende belangen Eigenbelang	Complementaire belangen Wens tot groei/ontwikkeling
Waardecreatie	Marktmacht, kosten/risico delen	Leren, innoveren, ondernemerschap
Waardeverdeling	Focus op verdelen van de taart; gedetailleerde regels voor winstdeling	Focus op vergroten van de taart; overeenstemming over visie in plaats van regels
Besturing benadrukt	*Strategy, structure, systems*, planning & control, score-cards, rapportagestructuren, aandelen, uitgebreide contracten; Boards sturen actief mee; Extrinsieke motivatie; Formele aspecten en controlmechanismen; Herhaalde onderhandelingen; Organisatie door regels	*Purpose, process, people*, gedeelde normen en waarden, vertrouwen; Boards adviseren en versterken alliantie, *arm's length*; Intrinsieke motivatie, *volition*, uitdaging; Informele aspecten en control-mechanismen; Wederzijdse aanpassing; Zelforganisatie
Theoretische achter-grond	Transactiekosten, agency theorie, Industrial Organization, M-form	Social capital view, N-form, stewardship, Ghoshal

2.2 De controlbenadering[1]: grip op opportunisme

In het Nederlands heeft het begrip control een negatieve bijklank doordat het lijkt op ons woord controle. Het Engelse woord control heeft echter een bredere betekenis: beheer en bestuur komen er in het Nederlands het dichtstbij. Con-

---

[1]   De theoretische achtergrond van deze benadering is te vinden in de transactiekostentheo-rie (Williamson, 1975, 1985), de agency theorie (Eisenhardt, 1989; Jensen en Meckling, 1976), industrial organization (met name in de opvatting van Bain, 1968) en het denken over de 'M-form', de multidivisievorm.

trole kan natuurlijk onderdeel daarvan zijn, maar is niet de kern. Iedere vorm van organisatie heeft kaders nodig om te kunnen functioneren, zo ook allianties. De controlbenadering van allianties definieert die kaders en doet dat vooral door middel van formele regels en procedures. Soms moeten de regels strak zijn, soms kunnen ze losser zijn, maar zonder control is organiseren niet mogelijk.

In de controlbenadering wordt opportunisme als kern van het alliantiebesturingsprobleem gezien. Opportunisme is gedrag van een alliantiepartner dat erop gericht is de eigen situatie te verbeteren ten koste van de ander. Het kan kleine vormen aannemen, bijvoorbeeld door zelf niet te veel tijd in de alliantie te investeren en de partner vooral het werk te laten doen. Opportunisme kan ook grootschalig zijn. Er zijn voorbeelden aanwijsbaar van alliantiepartners die leren van hun partner, de alliantie verbreken wanneer zij voldoende geleerd hebben en dan voor zichzelf verder gaan[3]. Een manager van een biotechbedrijf gaf hiervan een voorbeeld: 'Toen we ons IP in de joint venture inbrachten hadden we dat onvoldoende beschermd. Bij ontbinding van de joint venture werd onze partner daardoor mede-eigenaar van ons IP. Achteraf vermoed ik dat ze van ons gebrek aan kennis over allianties misbruik hebben gemaakt en dat dit allemaal door hen gepland was, want ze hebben de joint venture nooit een serieuze kans gegeven'.

Naast de kernvraag hoe een organisatie opportunistisch gedrag van een partner kan voorkomen, is ook de vraag naar gedrag van werknemers in de alliantie relevant. Zij kunnen zich ook opportunistisch gedragen, bijvoorbeeld door een mislukking ten onrechte aan de partner te wijten. Zij kunnen zich ook meer met de alliantie of met de partner gaan identificeren dan met de eigen organisatie, waardoor zij wellicht meer weggeven aan de partner dan goed is voor de eigen organisatie. De controlbenadering is erop gericht te voorkomen dat partners zich opportunistisch gedragen en te voorkomen dat werknemers in een alliantie schade doen aan de eigen organisatie.

Er wordt vanuit gegaan dat mensen handelen uit eigenbelang en dat partners in een alliantie niet alleen overlap in hun doelstellingen hebben, maar tegelijkertijd ook een conflicterend belang. Dit vertaalt zich in opvattingen over hoe waarde in een alliantie wordt gecreëerd en verdeeld. Vanuit een controlbenadering zal vooral worden gezocht naar waardecreatie door het delen van kosten en risico's, het creëren van marktmacht en optimaliseren van processen door samenwerking. Bij het verdelen van de gecreëerde waarde ligt de focus op het verdelen van de bestaande taart. Dit uit zich in gedetailleerde regels over verdeling van de winst om een minimumopbrengst voor elke partner te garanderen. Contracten kunnen uitgebreid en gedetailleerd zijn. KLM en Northwest hebben zeer uitgebreide regels voor de verdeling van kosten en baten.

In termen van besturingstechnieken vertaalt de controlbenadering zich in een sterke nadruk op strategie, structuren en systemen[4]. De opvattingen over besturing binnen organisaties worden geprojecteerd op allianties. Dit betekent dat er nadruk is op een goede planning- en controlcyclus. Het gebruik van scorecards en prestatie-indicatoren voor allianties past hier goed bij. Er zijn verschillende processen in gebruik om voor allianties planning en control door middel van prestatie-indicatoren vorm te geven. In hoofdstuk 6 in de case studie van Keerpunt, een joint venture van Nationale-Nederlanden en Fortis, is te zien hoe financiële, personele en klanttevredenheidsindicatoren worden gebruikt om de prestaties van de joint venture te sturen en te meten.

Equity allianties passen ook in de controlbenadering omdat aandelen zeggenschap (of op zijn minst de illusie van zeggenschap) geven over de alliantie. Partners die aandelen in elkaar hebben, zijn van mening dat de wederzijdse aandeelhoudersrelatie ook een incentive creëert om samen te werken. De waarde van een aandelenpakket zal door opportunistisch gedrag immers verminderen terwijl een goede samenwerking de waarde verhoogt. Een aandelenrelatie vergroot bovendien de mogelijkheid om een partner te controleren, omdat een aandelenrelatie vaak gepaard gaat met een zetel in elkaars Raad van Commissarissen. Dit vermindert de mogelijkheid voor partners om opportunistisch te handelen.

De rol van directies en Raden van Bestuur in allianties die werken volgens het controlmodel is vaak groot. Zij sturen direct mee, hebben veel formeel en informeel contact en houden scherp toezicht op wat er in de alliantie gebeurt. De personen in de alliantie worden vooral extrinsiek gemotiveerd: zij krijgen een prestatiebeloning als targets zijn gehaald. Zij zijn meer gecommitteerd aan de targets dan aan de alliantie. De nadruk op strategie, structuren en systemen betekent ook dat de formele aspecten van de samenwerking als belangrijk worden gezien, terwijl aan de informele aspecten minder aandacht wordt besteed. De focus op contracten en formele aspecten leidt tot herhaalde onderhandelingen, die vervolgens weer formeel moeten worden bekrachtigd. Organisatie van het werk in de alliantie is vastgelegd in regels en procedures, die door werknemers moeten worden nageleefd.

Een voorbeeld van een strak gereguleerde samenwerking is te vinden in de case van de Talentgroep in hoofdstuk 7. De Talentgroep zelf heeft niet zulke strakke controlsystemen, maar in BV's die door de leden van Talentgroep worden opgezet om de bouw van scholen te realiseren wordt wel strak gestuurd. Dit heeft onder meer te maken met feit dat late oplevering kan leiden tot hoge boetes. Ook dwingt de strakke control elke partner om zo scherp mogelijk te kijken naar mogelijkheden voor optimalisering in het bouwproces en in de exploitatie van scholen.

2.3 De trustbenadering[II]: groei door motivatie

In de trustbenadering van alliantiebesturing staat de motivatie om samen te werken centraal. De vraag is hoe in een alliantie van verschillen gebruikt kan worden gemaakt om waarde te creëren en hoe mensen kunnen worden gemotiveerd zoveel mogelijk bij te dragen. De aanname achter de trustbenadering is dat niet zozeer sprake is van mogelijk conflicterende doelen, maar dat door middel van samenwerking juist complementaire doelen kunnen worden bereikt. Wanneer er mogelijkheden zijn tot gezamenlijke groei en ontwikkeling en alle alliantiepartners daarvan doordrongen zijn, is het niet nodig om uitgebreide controlstructuren in het leven te roepen. De motivatie om samen te werken is dan zo sterk dat opportunisme geen rol meer speelt. Aanhangers van de trustbenadering vinden het mensbeeld van de controlbenadering onnodig negatief. Het is volgens hen niet zo dat iedereen continu poogt de ander een hak te zetten. Mensen zijn vooral gemotiveerd door zelfactualisatie en samenwerking kan daar een belangrijke rol bij spelen. Het is daarom gerechtvaardigd partners te vertrouwen. In de case van Prominent, die verderop wordt behandeld, blijken twintig tomatentelers op deze basis succesvol te kunnen samenwerken. Vertrouwen is daar wel geworteld in een historisch bepaalde samenwerkingscultuur in het Westland. Ook wordt iedere tomatenteler aangesproken op zijn talent: de beste inkopers doen voor allen de inkoop; degenen met het meeste gevoel voor verpakking en marktontwikkelingen hebben tot taak op die gebieden bij te blijven.

Een wat cynischer variant van de trustbenadering is dat de voordelen van samenwerking zo groot kunnen zijn, dat opportunistisch gedrag van een partner ook die partner zelf schaadt, omdat het tot de ondergang van de alliantie kan leiden. In deze benadering staat vertrouwen in de betekenis van het Engelse *confidence* centraal: er wordt op vertrouwd dat de partner niet opportunistisch zal handelen en daarom zijn uitgebreide controlsystemen ook in deze benadering van trust niet nodig. Misschien is er dan geen vertrouwen in de partner, maar wel in het doel van de alliantie.

Uit het voorgaande volgt dat in samenwerking waarde wordt gecreëerd door te leren en te innoveren. Allianties zijn een vorm van ondernemerschap. Het gaat niet om het optimaliseren van een situatie op één moment in de tijd, maar om het verleggen van de grenzen en daardoor bij te dragen aan ontwikkeling en vooruitgang. De verdeling van waarde die in een alliantie wordt gecreëerd, is van minder belang dan het creëren van nieuwe waarde. De focus ligt op het vergroten van de taart. Wanneer de taart voldoende groeit, dan is de kans dat een partner zich niet voldoende waarde kan toe-eigenen klein. Bij sterke groei is er voor iedereen

---

II De theoretische achtergond van de trustbenadering is voor een belangrijk deel ontwikkeld door Ghoshal, bijvoorbeeld in zijn werk over de social capital view (Nahapiet en Ghoshal, 1998) en de N-form (Bartlett en Ghoshal, 1993). Ook zijn aanknopingspunten te vinden in de stewardship theorie (Davis et al., 1997).

genoeg. Natuurlijk betekent dit niet dat de verdeling van de waarde geen onderwerp is bij contractonderhandelingen. De houding waarmee de onderhandelingen
worden ingegaan, is echter een geheel andere dan bij de controlbenadering. In
de controlbenadering staat de verdeling centraal, bij de trustbenadering de groei.
Regels voor winstdeling zullen zich daardoor eerder beperken tot de hoofdlijnen.
Het is niet nodig over elke cent te twisten. De tomatentelers van Prominent hebben
zo'n eenvoudige benadering: er wordt geen geld aan de coöperatie onttrokken; elk
lid profiteert wel van lagere inkoopprijzen; elk lid moet verder winst zien te halen
door toepassing in het eigen bedrijf van in de coöperatie geleerde lessen.

Binnen een trustbenadering zijn andere besturingstechnieken relevant dan binnen een controlbenadering. Purpose, process, people[5] zijn de aangrijpingspun-
ten voor besturing. Er wordt gezocht naar een uitdagende doelstelling (purpose), het proces waarlangs innovatie tot stand moet komen krijgt aandacht
(process) en er wordt aandacht gegeven aan de vraag hoe mensen zich kunnen
ontwikkelen, omdat dit een voorwaarde is om hen te motiveren bij te dragen
aan een samenwerkingsverband (people). Meer dan op systemen ligt de nadruk
op gezamenlijke normen en waarden en de opbouw van vertrouwen tussen
partners. Een gedragscode waarin staat hoe partijen in de alliantie met elkaar
omgaan, kan daar onderdeel van zijn.

Hogere managementéchelons mengen zich bij een trustbenadering niet te veel
in de dagelijkse gang van zaken maar stellen zich op als adviseur en coach, die
helpt de alliantie tot ontwikkeling te brengen[6]. Wanneer bij het ontwerp van de
alliantie aandacht is besteed aan *purpose, process* en *people*, zijn medewerkers
immers intrinsiek gemotiveerd om aan de alliantie bij te dragen. Ze doen dit dan
uit vrije wil ('volition')[7]. Het feit dat zij zich met het doel van de alliantie identificeren, leidt hen in de juiste richting[8]. Bij KLM-Northwest en Senseo worden
de betrokken leden van het hoger management dan ook niet voor alle besluiten
geconsulteerd. Zij zijn betrokken maar sturen niet dagelijks mee. Uit het voorgaande volgt ook dat er relatief veel aandacht is voor de informele aspecten van
een alliantie. Om groei en innovatie tot stand te brengen, zijn commitment en
goede relaties van belang.

Een laatste bestuurstechniek die relevant is in de trustbenadering is wederzijdse
aanpassing. De houding die bedrijven hebben is er niet één van afrekenen en
strikt nakomen wat erop papier staat. Partijen passen zich aan elkaar en aan
veranderende omstandigheden aan. Dit kan vroeg of laat zijn beslag krijgen in
een contractwijziging. Het gaat erom dat partijen ervan doordrongen zijn dat
allianties niet volgens een strikt protocol verlopen, maar dat een 'leven en laten
leven' houding een belangrijke voorwaarde voor alliantiesucces is. Zelforganisatie, het vermogen om met elkaar activiteiten af te stemmen zonder tussenkomst
van hogere hiërarchische niveaus, is in allianties daarom ook van groot belang.

Aangezien zelforganisatie niet mogelijk is zonder dat individuele werknemers doordrongen zijn van de doelstellingen die bereikt moeten worden, is een *purpose* die mensen aanspreekt een voorwaarde om tot alliantiesucces te komen.

Soms wordt gesteld dat wederzijdse aandelenbelangen vertrouwen kunnen bevorderen. Deze opvatting past eerder in een control- dan in een trustbenadering. De trustbenadering zal eerder stellen dat een goed business idee de beste garantie is voor een duurzame relatie. Als de opbrengst van een alliantie voor alle partners duidelijk is, dan is een wederzijds aandelenbelang niet noodzakelijk om wederzijdse afhankelijkheid en daarmee vertrouwen te creëren. Wederzijds aandeelhouderschap is dan eerder een indicatie dat het business plan onvoldoende overtuigend is en dat daarom de partners extra middelen nodig hebben om zich met elkaar te verbinden. Wederzijdse aandelenbelangen vormen dus vaak een indicatie dat een controlbenadering wordt gehanteerd.

Een mooi voorbeeld van de trustbenadering is te vinden in hoofstuk 7 bij de beschrijving van Prominent. Dit vergaande en innovatieve samenwerkingsverband voldoet in hoge mate aan de hierboven weergegeven analyse. De creativiteit en het ondernemerschap dat in deze samenwerking wordt gerealiseerd laten zien hoe effectief de trustbenadering kan zijn.

2.4 Voor- en nadelen van de twee benaderingen

De twee onderscheiden benaderingen hebben elk hun eigen voor- en nadelen. In tabel 2.2 zijn deze weergegeven. Het grote voordeel van de controlbenadering is dat zij leidt tot waakzaamheid en discipline[9]. Een gestructureerd proces zorgt ervoor dat relevante aandachtspunten op tijd de vereiste aandacht krijgen. De wetenschap dat een goede control plaatsvindt, kan ertoe bijdragen dat medewerkers zich gedisciplineerd gedragen. Zij zullen zich richten op het behalen van de doelen en het uitvoeren van de plannen, op een zo efficiënt mogelijke wijze.

Dit laatste kan echter ook een nadeel zijn. Naarmate werknemers zich meer aan de regeltjes houden, worden zij minder flexibel en minder creatief[10]. Methoden van waardecreatie die niet binnen de regels vallen, worden dan niet ingevoerd. In extreme mate kan zich dit voordoen wanneer werkwijzen overgestructureerd worden. Als werknemers meer bezig zijn met de regels dan met hun eigenlijke werk, dalen de prestaties. Tenslotte kunnen regels juist ook weer opportunistisch gedrag oproepen[11]. Alliantiepartners kunnen zich gaan richten op de regels in plaats van zich te identificeren met de alliantie. Zij zullen zich daardoor eerder opportunistisch gaan gedragen, dan wanneer zij een daadwerkelijk commitment aan de alliantie voelen en bereid zijn regels ruim in plaats van eng te interpreteren. Elke minieme schending of wijziging van de regels kan dan worden aangegrepen om een alliantie te beëindigen.

Tabel 2.2:   Voor- en nadelen van de twee besturingsbenaderingen

	Controlbenadering	Trustbenadering
Voordelen	Waakzaamheid Discipline	Verbind alliantie met individuele aspiraties Maakt energie los Lagere coördinatielast
Nadelen	Beperkt waardecreatie, flexi- biliteit, creativiteit Overstructurering kan leiden tot lagere prestaties Focus op de regels in plaats van de doelen Hoe meer regels, hoe meer opportunisme	Geen correctiemechanisme voor free-riding en opportunisme Financiële onduidelijkheid Fit met doelen van de partners kan verminderen Groupthink leidt tot strategische rigiditeit

De trustbenadering heeft als voordeel dat dit commitment er wel is, omdat een verbinding wordt gelegd tussen de alliantie en de aspiraties van de individuen en organisaties die de alliantie vormen. Anders dan de controlbenadering die energie inperkt, maakt de trustbenadering juist energie los. Ook de coördinatie-last is bij een trustbenadering lager, omdat er minder regelgeving en monitoring nodig is.

Daar staat als nadeel tegenover dat in de trustbenadering een hard correctie-mechanisme tegen free-riding en opportunisme afwezig is. Wanneer een partner opportunistisch handelt, zijn er geen harde sancties mogelijk, alleen zachte zoals schade aan de reputatie van de partner. Er is dus een potentieel risico. Bij het afwegen van de keuze tussen een control- en een trustbenadering is het van belang te beseffen dat dit risico potentieel is. De kosten die gemaakt worden voor een controlbenadering zijn reëel; de kosten van een trustbenadering potentieel[12]. Een tweede nadeel is dat er financiële onduidelijkheid kan zijn. In de controlbe-nadering zijn alle parameters tot in detail uitgewerkt, zodat afgezien van onvoor-ziene omstandigheden elke partner weet welke inkomsten en uitgaven hem te wachten staan. Bij de trustbenadering is dat veel minder het geval. Een derde nadeel van de trustbenadering is dat mensen zich zozeer met de alliantie gaan vereenzelvigen dat de doelen van de partners naar de achtergrond verdwijnen. De samenwerking wordt dan een doel op zich, in plaats van afgeleid te zijn van de doelen van de partners. Het vierde nadeel is hier aan gerelateerd. Wanneer een alliantie te veel intern georiënteerd is, ontstaat het fenomeen van groupthink, waarbij alliantiemedewerkers niet meer ontvankelijk zijn voor impulsen van buiten. Dit kan leiden tot strategische rigiditeit: een onvermogen om de alliantie aan te passen aan gewijzigde omstandigheden.

2.5 Wanneer is trust beter en wanneer control?

Uit het voorgaande blijkt al dat geen van de modellen perfect is. Het ene model is dan ook niet beter dan het andere, zeker niet omdat in de werkelijkheid de pure vormen toch niet kunnen worden gerealiseerd. In de praktijk zullen de archetypen van de twee modellen niet veel worden aangetroffen. Zowel control als trustaspecten spelen in allianties een rol.

In de theorievorming zijn pogingen gedaan de twee modellen te verzoenen. Zo is er op gewezen dat het ene model niet zonder het andere kan, wil men de nadelen van elk van de vormen vermijden[13]. In een relatie is zowel vertrouwen als conflict nodig. Vertrouwen in de kennis en vaardigheden van de alliantiepartner, maar wantrouwen in de beperkingen van de mens om de situatie altijd helder te zien. Dit laatst kan leiden tot conflict, dat dan weer nodig is om strategische rigiditeit te voorkomen. Verder zijn een gezamenlijk doel en helder vastgelegde gezamenlijke besluitvorming noodzakelijk, maar tegelijkertijd is er behoefte aan diversiteit van ideeën. De eenheid en logica van de controlbenadering moet in deze redenering samengaan met de creativiteit en dynamiek van de trustbenadering. De zakelijke kant van de alliantie moet worden gecombineerd met een alliantie *spirit*[14].

Afgezien van de discussie of het ene model beter is dan het andere dan wel of beide modellen met elkaar moeten worden verzoend, geldt wel dat in sommige omstandigheden meer controlelementen van belang zijn, terwijl in andere omstandigheden de elementen van de trustbenadering meer aandacht verdienen. Omstandigheden die de keuze van het ene model boven het andere kunnen beïnvloeden zijn:
- cultuurverschillen. Individualistische culturen met een grote machtsafstand zullen eerder kiezen voor een controlmodel dan collectivistische culturen met een geringe machtsafstand[15];
- managementfilosofie en managementstijl: wantrouwige controlfreaks die niet kunnen delegeren en een kortetermijnoriëntatie hebben, kiezen eerder voor een controlmodel dan managers met een tegengesteld karakter[16];
- doel van de alliantie. Wanneer de opbrengsten van een alliantie goed zijn te berekenen, bijvoorbeeld wanneer door schaalvergroting kostenbesparingen kunnen worden gerealiseerd, is het mogelijk een alliantie strakker aan te sturen dan wanneer innovatie een rol speelt.
- bedrijfsomgeving. In een stabiele omgeving is het mogelijk meer te werken met een controlbenadering, omdat er minder aanpassingen in een alliantie nodig zullen zijn dan in een dynamische omgeving. In een dynamische omgeving is het aanpassingsvermogen van de alliantie van groter belang en die is beter gewaarborgd met de trustbenadering. Bovendien ligt in een stabiele omgeving de nadruk eerder op optimalisatie dan op innovatie. De controlbenadering speelt daar beter op in. Een onderzoek naar de relatie tussen besturing en bedrijfsomgeving vindt inderdaad een dergelijk verband tussen omgeving

en besturingsmodel[17]. In een dynamische omgeving wordt eerder voor een trustbenadering gekozen dan voor een controlbenadering, omdat het continu heronderhandelen van contracten in een dergelijke omgeving te kostbaar is.

- coöpetitie. In samenwerkingsverbanden met een concurrent zullen partners eerder kiezen voor een controlbenadering dan voor een trustbenadering. De schade die ontstaat wanneer kennis en informatie bij een concurrent belanden, is in potentie immers groter dan wanneer zij terecht komen bij een partner uit een andere sector.
- belang van de alliantie. Voor allianties met een geringer belang hoeven geen ingewikkelde controlsystemen te worden opgezet; allianties met een groot belang zullen ook uitgebreidere besturingssystemen kennen.
- potentiële schade van een verbroken alliantie. Naarmate de schade van een mogelijke mislukking van een alliantie hoger uitvalt, zal eerder worden gekozen voor een controlbenadering.
- bekendheid van de partners met elkaar en dynamiek in de alliantie. Wanneer partners elkaar beter leren kennen en een relatie opbouwen kan de besturing van de alliantie verschuiven van een control- naar een trustbenadering. Wanneer de relatie slechter wordt, kan de behoefte ontstaan om meer elementen uit de controlbenadering toe te passen.

Erg scherpe richtlijnen geeft de literatuur dus niet en de bovenstaande lijst is moeilijk te vertalen in concrete aanbevelingen. De literatuur is voornamelijk descriptief van aard en voorschriften over wat optimaal is onder welke omstandigheden ontbreken. In hoofdstuk 8 wordt deze thematiek daarom nader uitgediept. Op basis van een aantal gedetailleerde case studies blijkt het mogelijk te zijn meer te zeggen over de omstandigheden waaronder een trust- of een controlbenadering gewenst is dan het wel zeer obligate 'allebei zijn van belang'. Interessant is overigens dat de literatuur geen gevallen noemt waarin de ene partner een controlbenadering wil toepassen en de ander een trustbenadering. Wellicht hebben deze partners al in een vroege fase vastgesteld dat zij niet bij elkaar passen.

2.6 Samenvatting

Dit hoofdstuk heeft twee hoofdbenaderingen van alliantiebesturing beschreven. Afhankelijk van de keuze die wordt gemaakt voor een control of trustbenadering worden de elementen van alliantiebesturing verder ingevuld. Om welke besturingselementen het gaat wordt in het volgende hoofdstuk besproken. De meer strategische en abstracte benaderingen van control en trust worden in hoofdstuk 3 vertaald naar de operationele mechanismen die bedrijven gebruiken om hun allianties te besturen.

Noten

1 Cools, 2005
2 Williamson, 1985
3 Khanna et al., 1998
4 Ghoshal et al., 1999
5 Ghoshal et al., 1999
6 Sundaramurthy en Lewis, 2003
7 Ghoshal en Bruch, 2003
8 Yan en Gray, 1994
9 Sundaramurthy en Lewis, 2003
10 Ernst en Bamford, 2005
11 Ghoshal en Moran, 1996
12 Ariño en Reuer, 2004
13 Sundaramurthy en Lewis, 2003
14 Spekman et al., 1997
15 Davis et al, 1997
16 Davis et al, 1997
17 Carson et al., 2005; Rowley et al., 2000

3
De bouwstenen van alliantiebesturing

Nadat de strategische keuze is gemaakt voor een control- of een trustbenadering kan een gedetailleerd operationeel besturingsmodel worden ontworpen. Daarbij moet aan een aantal bouwstenen aandacht worden besteed, zoals doelstelling, overlegstructuren en planning. Deze worden in dit hoofdstuk besproken. In de hoofdstukken met casebeschrijvingen wordt vervolgens getoond hoe bedrijven deze besturingselementen precies hebben ingevuld. Dit hoofdstuk heeft tegelijkertijd een praktisch karakter. De verschillende elementen die hier besproken worden vormen een checklist die managers kunnen gebruiken wanneer zij een besturingsmodel voor een alliantie moeten ontwerpen.

De complexiteit van allianties maakt het moeilijk om besturing vorm te geven door middel van een enkel orgaan dat de alliantie overziet. In plaats daarvan is het nodig een besturingssysteem tot stand te brengen[1], waarbij aan verschillende aspecten aandacht moet worden besteed. Hierbij spelen zowel formele als informele elementen een rol. Of deze allemaal moeten worden ingevuld en in hoever, hangt af van de vraag of er gekozen wordt voor een control- of een trust-benadering. Aan dit onderwerp wordt ook aandacht besteed. Ook ten aanzien van alliantiebesturing blijken allianties precisie-instrumenten te zijn: er zijn vele keuzes mogelijk om te komen tot maatwerk voor elke alliantie.

3.1 De bouwstenen

Alliantiebesturing verwijst naar combinaties van juridische, economische en sociale beheersmechanismen die gericht zijn op coördinatie en bewaking van bijdragen van partners, hun managementtaken en de verdeling van de opbrengsten van hun gezamenlijke activiteiten[2]. Figuur 3.1 geeft de belangrijkste bouwstenen weer. Sommige zijn vooral formeel van aard, zoals de juridische vorm van de samenwerking. Andere elementen zoals vertrouwen zijn voornamelijk van informele aard. Veel elementen bergen echter zowel een formele als een informele component in zich. In de figuur zijn de verschillende besturingselementen daarom op een continuüm van formeel naar informeel gerangschikt. Formele aspecten zijn expliciete mechanismen voor alliantiebesturing, die meestal worden vastgelegd in een contract, business plan of alliantieontwerp. Ze verschaffen de basis voor een alliantie en komen tot stand door overleg en onderhandelingen. Het proces dat leidt tot formulering van de formele aspecten dwingt partijen om hun ideeën over een alliantie te expliciteren en te onderzoeken of de aannames die ten grondslag liggen aan een alliantie correct zijn. De overwegend informele aspecten spelen een grote rol in het dagelijkse management van een alliantie. Zij bepalen de sfeer van de samenwerking.

Niet al deze elementen zijn eenvoudig te beïnvloeden en te ontwerpen. Grof gezegd geldt dat hoe formeler het element is, hoe eenvoudiger het te ontwerpen is. Daarom vormen formele elementen het eerste aangrijpingspunt voor besturing. Dit betekent echter niet dat de informele elementen minder belangrijk zijn. De verschillende elementen van figuur 3.1 zullen nu één voor één besproken worden. Daarbij wordt ook aangegeven hoe zij worden ingevuld in een controlbenadering en hoe ze worden ingevuld in een trustbenadering.

Figuur 3.1: De bouwstenen van alliantiebesturing

3.1.1 Juridische vorm

Allianties kunnen op verschillende manieren worden vormgegeven: mondelinge afspraken, contracten, joint ventures (in de verschillende rechtsvormen die daarvoor zijn: BV, vof, coöperatie, vereniging), deelnemingen van partners in elkaar. De vraag wanneer welke vorm het meest geschikt is, is vaak moeilijk te beantwoorden. In latere hoofdstukken wordt aan de hand van cases nog een aantal keuzecriteria uitgewerkt, die behulpzaam kunnen zijn bij het kiezen van de juridische vorm. Er is wel al een link vast te stellen tussen de juridische vorm en de control- en trustbenadering. Meestal wordt een controlbenadering geassocieerd met dikke contracten en equityrelaties. De trustbenadering gaat dan samen met contractuele allianties en korte contracten.

3.1.2 Welke financiële afspraken worden gemaakt?

Bij de verdeling van de winst spelen financiële afspraken en non-markt prijsmechanismen[3] een rol. Afspraken over winstverdeling, transferprijzen, dividenden en verdeling van risico's zijn er in vele verschillende vormen evenals afspraken over het eigendom van kennis en middelen in de alliantie. Ook kunnen afspraken worden gemaakt over welke delen van de winst worden geherinvesteerd.

Een methode om dit zeker te stellen is de creatie van een alliantiefonds, zoals bij de samenwerking tussen NS Railinfrabeheer en zijn partners. In dit geval werden de winsten van de alliantie in een fonds ondergebracht waaruit innovatie werd gefinancierd[4]. De 'deal structures' van allianties kunnen heel complex zijn en hebben een significante impact op het succes van allianties. Verkeerde financiële incentives zullen een samenwerkingsverband namelijk ondermijnen.

De cashflow die benodigd is, moet ook in kaart worden gebracht. Wanneer gedurende langere tijd er meer geld uit dan in de alliantie stroomt, moeten de partners tijdig de financiering regelen. Overigens kan de cash flow ook bij een succesvolle alliantie een knelpunt zijn. Met name samenwerkingsverbanden met kleine bedrijven lopen op tegen het feit dat kleine bedrijven niet altijd in staat zijn een uitbreiding van productiecapaciteit tijdig te financieren.

In een controlbenadering zullen de financiële rekenregels meer gedetailleerd zijn dan in een trustbenadering. KLM en Northwest hebben zeer uitgebreide afspraken over welke kosten en welke baten tot de alliantie worden gerekend. Prominent, de alliantie van tuinders, heeft hier daarentegen slechts enkele basisregels over afgesproken.

Bij beëindiging van een partnership doen zich financiële vragen voor die geregeld worden in exitclausules. Deze regelen de voorwaarden waaronder partijen uit elkaar gaan. Goede exitclausules zijn de beste garantie voor een vlotte afwikkeling van een alliantie. Een ondernemer zei hierover: 'Bij onze eerste grote alliantie hadden we de exit niet geregeld. Na beëindiging van de alliantie zijn we nog een paar jaar bezig geweest met de boedelscheiding. Bij de volgende alliantie hebben we wel afspraken gemaakt over hoe we uit elkaar gingen. Toen het zover was, was het in een paar maanden geregeld'.

3.1.3 Scope en exclusiviteit

Een ander formeel bestuursmechanisme is de afbakening van de scope van de samenwerking, waaronder ook exclusiviteitsafspraken worden begrepen. De scope of reikwijdte van een alliantie bepaalt het werkgebied in termen van product, land, technologie en tijdsduur. Hier komt de alliantie als precisie-instrument naar voren. De scope is vaak nauw omschreven, precies gericht op die elementen waar de grootste opbrengst van de samenwerking ligt:
- KLM en Northwest die de alliantie beperken tot het transatlantische, hub-hub verkeer;
- Philips en Sara Lee die de Senseo beperken tot 'packaged coffee';
- de Talentgroep die zich richt op de bouw van scholen in Nederland;
- de joint venture Keerpunt die zich richt op re-integratiediensten buiten de bouw.

Voor alles wat buiten de scope van een alliantie valt, kan een organisatie eventueel andere partners zoeken. Of dit ook mogelijk is voor zaken die binnen de scope van de samenwerking vallen, zullen de partners moeten beslissen. Exclusiviteit is niet vanzelfsprekend en ook niet altijd noodzakelijk. Exclusiviteit kan het commitment aan de samenwerking verhogen en opportunisme verminderen. Het kan echter ook de incentive weghalen om continu te verbeteren. Wanneer partners beseffen dat hun partner ook met een andere partner zaken kan doen, hebben ze een reden om scherp te blijven. In sommige markten is exclusiviteit noodzakelijk omdat de markt anders te versnipperd raakt en het niet mogelijk is om de voordelen van samenwerking daadwerkelijk te realiseren. In een control-benadering zal vaker exclusiviteit voorkomen dan in een trustbenadering.

3.1.4 Doel, planning en control

Alle onderdelen van een planning- en controlcyclus die binnen een organisatie relevant zijn, zijn ook relevant in allianties. De invulling kan echter nogal verschillen. Planning in allianties begint met het vaststellen van het doel. Dit kan worden vastgelegd in een document, een contract, Memorandum of Understanding of business plan. De doelen worden vaak geoperationaliseerd in een scorecard. Meetbare criteria vormen de grondslag voor controle op allianties. Complementaire doelstellingen zijn wellicht de enige echte conditio sine qua non voor allianties. Het is niet zo dat de doelstellingen van partners volledig moeten overlappen en dat partners elkaars doelstellingen volledig moeten kennen. Ook wanneer dit maar ten dele het geval is, kan een alliantie goed functioneren. Partners hebben naast een gezamenlijk doel meestal ook nog een individueel doel met de samenwerking.

In een controlbenadering wordt planning gedreven door strak projectmanagement; in een trustbenadering niet. Er vinden in het laatste geval vaak tussentijdse aanpassingen aan de planning plaats. Het moet dus wel mogelijk zijn om control toe te passen: rondom innovatie is dat lastiger dan in een stabiele situatie. De Senseo-alliantie werkt met roadmaps waarin mogelijke toekomstige ontwikkelingen van het product worden beschreven. Aanpassing en precisering kunnen altijd plaatsvinden. In een joint venture van het samenwerkingsverband de Talentgroep, die moet zorgen voor de bouw van een school, is de problematiek beter te overzien. Hier wordt een gedetailleerdere planning gemaakt met minder open einden en minder flexibiliteit.

Om uitvoering van de plannen te waarborgen dienen de juiste incentives en sancties te worden afgesproken. Dit geldt op het niveau van de organisaties en op het niveau van de alliantiemanagers. Aan het afstemmen van de incentives voor het alliantiepersoneel op het doel van de alliantie wordt vaak geen aandacht geschonken, waardoor medewerkers soms verkeerd worden afgerekend. Een voorbeeld hiervan deed zich voor in de Nederlandse vestiging van een Amerikaans IT-bedrijf. Verkopers van dit bedrijf mochten verkopen die zij met partners deden niet volledig bij hun sales target optellen, terwijl directe verkopen aan een klant wel volledig bij hun target mochten worden opgeteld. Aangezien deze verkopers op kwartaalresultaten werden beloond, investeerden zij niet in de relatie met hun alliantiepartners. Voordat een alliantie goed draait, verstrijkt er immers meestal een jaar. Hoewel in de sector bekend was dat investeringen in verkoop met een partner op langere termijn meer opleverden doordat ook van de sales force van de partner gebruik kan worden gemaakt, kwamen allianties in dit bedrijf dus niet van de grond komt. Een trustbenadering zal meer de nadruk leggen op incentives rondom groeien en leren in de alliantie. Een controlbenadering benadrukt de winstgevendheid van elk van de partners op kortere termijn.

De juiste rapportagestructuur en accountability moet worden gedefinieerd. Bij dit punt speelt de vraag aan wie alliantiemanagers verantwoording afleggen. Legt de alliantie als geheel verantwoording af aan de gezamenlijke directies van de partners? Of legt elke alliantiemanager in zijn bedrijf verantwoording af voor het doen en laten van de alliantie? Wanneer zijn de voortgangsrapportages? Het verschil tussen een control- en trustbenadering ligt hier vooral in de frequentie van de rapportages en het detailniveau van de rapportages. Beiden zijn groter in het geval van een controlbenadering.

Monitoring van allianties is een laatste element uit de planning- en controlcyclus. Het betreft hier dan niet alleen de inhoudelijke voortgang, maar ook monitoring van de relatie. Van lopende allianties kan worden vastgesteld of ze 'gezond' zijn. Een techniek hiervoor die door met name Eli Lilly is ontwikkeld en door diverse andere organisaties is overgenomen is de alliantiediagnose[5]. Door middel van een vragenlijst die wordt voorgelegd aan medewerkers van alle partners in een alliantie wordt in kaart gebracht waar verbetering mogelijk is en waar potentiële risico's zitten. Een andere manier van monitoring en controle zijn diverse audits die kunnen worden gedaan bijvoorbeeld naar de kwaliteit van een product of dienst die een partner inbrengt. De criteria waarop gemonitord wordt, zullen in de controlbenadering meer te maken hebben met de 'harde' aspecten van de samenwerking, terwijl in de trustbenadering ook aandacht wordt geschonken aan relationele aspecten.

3.1.5 Welke conflictoplossingsprocedures kunnen worden gehanteerd?

Procedures voor het oplossen van conflicten zijn in een alliantie van belang omdat verschillen tussen partners snel tot conflicten kunnen leiden. In allianties worden veelal escalatieprocedures gebruikt waarbij problemen naar een hoger niveau worden doorgespeeld, bijvoorbeeld van een werkgroep naar een Alliance Board. Anders dan het woord escalatie in het dagelijkse taalgebruik doet vermoeden, heeft escalatie in het zakelijke taalgebruik een positieve connotatie verworven. Het betekent dat een probleem aan een hoger niveau wordt voorgelegd wanneer een lager niveau het niet op kan lossen. Wanneer en hoe een probleem wordt voorgelegd kan worden beschreven in de escalatieprocedures.

Tijdig problemen naar een hoger niveau brengen, is nodig omdat een conflict de relaties op de werkvloer tussen de partners zodanig kan verstoren, dat zelfs al wordt het conflict op een hoger niveau opgelost, de mensen die moeten samenwerken dit niet meer kunnen en willen. In de Senseo-alliantie blijkt escalatie heel succesvol te zijn.

Wanneer escalatie niet meer mogelijk is en ook het hoogste orgaan binnen een alliantie niet in staat is het conflict op te lossen, is er alleen nog de uitweg om extern hulp te zoeken. Bemiddeling en mediation zijn dan mogelijkheden. In de praktijk wordt hier echter niet veel gebruik van gemaakt. Wanneer het conflict zo hoog is opgelopen, wordt er eerder voor gekozen de samenwerking te beëindigen.

3.1.6 Gezagsverhoudingen, overlegstructuren en hiërarchie: is er een baas?

Het eerste punt dat bij de gezagsverhoudingen in de alliantie van belang is, is wie de bevoegdheid heeft welke beslissingen te nemen en welke wijze van besluitvorming wordt gehanteerd. In allianties met verscheidene partners kan besluitvorming op vele manieren worden vormgegeven: meerderheid, consensus, consent, blocking votes, een lead partner kan beslissen, een groep van kernpartners kan de leiding nemen, stemmenverdeling kan plaatsvinden naar proportie van investeringen of via het 'one man, one vote' principe etc. In bilaterale allianties kan bijvoorbeeld worden afgesproken dat één van de partners beslissingen neemt op een bepaald gebied, waar het bij uitstek competent is, en de andere partner weer op een ander gebied.

In een minder succesvolle alliantie was een verkeerde keuze op dit vlak een faalfactor: 'Wij brachten onze kennis in in de alliantie, maar de dagelijks beslissingen werden genomen door onze partner die niet de expertise had die wij hebben. Dat leidde tot suboptimale besluiten'. Goed alliantiebestuur belegt beslissingsbevoegdheid bij de meest geschikte personen. In de Senseo alliantie beslist uiteindelijk Douwe Egberts over de koffiemelanges en Philips over de apparaten. Prominent belegt verantwoordelijkheden bij werkgroepen die zijn samengesteld uit leden met de meeste ervaring op een bepaald vlak, bijvoorbeeld inkoop. In Keerpunt bemoeien Fortis en Nationale Nederlanden zich niet met de manier waarop re-integratie plaatsvindt: deze kennis hebben ze juist gecombineerd in een afzonderlijk bedrijf om daar kennisopbouw te realiseren. Een succesvolle besturing bouwt dus voort op bestaande kennisspecialisaties. Zij voorkomt dat iedereen iets te zeggen heeft over alle competentiegebieden.

Hoewel allianties uiteindelijk niet hiërarchisch zijn omdat twee partners samenwerken zonder hogere macht, is er meestal wel een hiërarchische structuur aanwijsbaar. Er kan een Alliance Board zijn waaraan verschillende werkgroepen of commissies rapporteren. De wijze van samenstelling van de boards en werkgroepen moet worden vastgesteld en hun onderlinge verhouding beschreven.

Ook het element macht is van belang in de verhouding tussen de partners. Macht kan een formele component hebben, die bijvoorbeeld tot uitdrukking komt in een stemverhouding of aandelenverhouding. Macht kan echter ook informeel worden uitgeoefend door druk uit te oefenen op een partner om een bepaald besluit te forceren. Een controlbenadering gaat ervan uit dat de partner die de macht heeft deze ook in zijn eigenbelang zal uitoefenen. Dit hoeft echter niet. In de trustbenadering wordt er vanuit gegaan dat de machtigste partner terughoudend zal zijn bij het uitoefenen van zijn macht.

3.1.7 Communicatiestructuren: wie praat met wie over wat?

Een goede communicatie is essentieel voor het effectief functioneren van een alliantie. In allianties wordt veel gebruik gemaakt van vaste aanspreekpunten bij de partner, liefst op meerdere niveaus (het multiple points of contact of spiegelstructuurmodel dat onder andere bij de Senseo alliantie tussen Sara Lee en Philips in gebruik is). Ook linking pins (personen die in de alliantie werken en tegelijk in de interne besturingsstructuur van hun onderneming zijn ingebed) en teams worden ingezet. In het geval van KLM en Northwest is dit heel ver doorgevoerd. Daar werkt eigenlijk iedereen zowel voor de alliantie als voor het eigen bedrijf.

IT kan ondersteunend zijn aan de communicatie. Sommige allianties hebben bijvoorbeeld websites die het mogelijk maken om snel de juiste persoon bij de partner te vinden. In een controlmodel kan worden aangegeven wie met wie mag praten en waarover. Dit voorkomt onder meer ongewenste overdracht van kennis en informatie. In een trustbenadering zal er meer vrijheid zijn: personeelsleden van de ene partner kunnen vrijelijk contact opnemen met iemand van de andere partner.

Behalve communicatie tussen partners is de interne communicatie in elk van de partners van belang. Alliantiemanagers moeten interne stakeholders informeren en zullen vaak ook de ambassadeur van hun partner zijn in hun eigen organisatie. Zij moeten uitleggen waarom een partner iets wil of iets niet wil. Een laatste element van communicatie is de vraag of werknemers van de partner op één locatie gaan werken of dat ze op gescheiden locaties werken. Het eerste maakt de communicatie veel makkelijker. Wanneer er intensief moet worden samengewerkt, is deze oplossing dus te overwegen. Het nadeel ervan is dat er een grotere kans is dat er meer kennis wordt overgedragen aan de partner dan wenselijk is, omdat bij dagelijkse samenwerking ongemerkt veel informatie wordt overgedragen.

Communicatie heeft niet alleen een formeel aspect van overlegstructuren en frequenties van overleg, maar ook een informeel aspect. Zij vindt vaak plaats buiten regulier overleg om, tijdens het gewone werk of in informele bijeenkomsten. Naarmate mensen elkaar beter leren kennen, kan meer en rijkere informatie worden gedeeld. Afhankelijk van de situatie kan dit als positief of negatief worden ervaren. Informele communicatie kan worden aangemoedigd (in de trustbenadering) of worden ontmoedigd (in een controlbenadering). Aanmoediging vindt plaats door naast zakelijke besprekingen ook ruimte in te bouwen voor sociale activiteiten waarbij de verschillende alliantiemanagers betrokken zijn. De twintig tomatentelers die in de alliantie Prominent samenwerken doen dit, maar KLM en Northwest doen het ook.

3.1.8 Leiderschap: coach of controlfreak?

Leiderschap is een element dat zowel een formele als een informele component heeft. De formele component volgt uit veel van wat hiervoor al is besproken. Het gaat om de persoon die beslissingsbevoegdheid heeft, eindverantwoordelijk is, aan wie verantwoording wordt afgelegd en die budget beschikbaar stelt. Even relevant lijkt echter de informele kant van leiderschap te zijn. De manier waarop leiderschap wordt uitgeoefend verschilt sterk van persoon tot persoon. Een leider kan handelen naar de geest van een alliantiecontract of naar de letter. Een leider kan een sterke neiging hebben veel te willen controleren of juist een delegerende stijl hebben. Bij allianties met veel partners is een leider nodig die een grotere groep kan inspireren en bij elkaar kan houden. Sommige leiders hebben een groot empathisch vermogen en andere niet. Wanneer een alliantie wordt ingericht volgens een trustbenadering past daar geen leider bij die alles zelf wil controleren en erg formalistisch is, maar lijkt een coachende houding toepasselijk. De controlbenadering past bij een dergelijke leider veel beter. Om een goede alliantiebesturing te verkrijgen moet dus ook een alliantiemanager worden gezocht die past bij het overall besturingssysteem.

3.2 Informele elementen van alliantiebestuur

Op de glijdende schaal van figuur 3.1 zijn de volgende elementen voornamelijk informeel van karakter. Leiderschap kent nog een belangrijk aantal formele aspecten, maar voor de hierna te bespreken elementen geldt dat minder. Informele aspecten van samenwerking zijn niet in een geschreven stuk terug te vinden of hebben geen betrekking op vergaderingen en overleg, maar bepalen wel de sfeer in een alliantie. Tijdens het proces van samenwerken oefenen zij een grote invloed uit op de gang van zaken. Daarom verdienen zij de nodige aandacht. Juist hun ontastbaarheid maakt het echter moeilijk ze bespreekbaar te maken.

Een formele besturingsstructuur is het skelet van een alliantie. Informele aspecten zijn het vlees op de botten. Er zijn geen werkende formele structuren waarbij de informele aspecten niet tot ontwikkeling zijn gekomen. Een formele structuur zal nooit in staat zijn alles te beschrijven wat in een alliantie gebeurt. Andersom geldt dat een informele structuur een formele structuur kan doorkruisen. Een business plan kan gedegen in elkaar zitten, maar als de twee managers van de partners die het moeten uitvoeren niet met elkaar kunnen samenwerken, daalt de kans op succes aanzienlijk. Blijkt daarentegen dat er groot vertrouwen tussen deze personen is, dan is het mogelijk dat er zoveel energie wordt gegenereerd in de alliantie dat zij de doelstellingen overtreft.

Figuur 3.2 geeft de belangrijkste informele aspecten rondom allianties weer. Ten eerste is er het element van samenwerkingsreputatie van een partner. Vervolgens zijn er informele aspecten te onderscheiden die in de specifieke relatie tussen partners tot uiting komen: persoonlijke relaties, cultuurverschillen, vertrouwen en commitment. Tenslotte zijn er algemene normen en waarden die bij samenwerking van belang zijn, ongeacht de context en aard van de alliantie.

Figuur 3.2: Informele aspecten van allianties

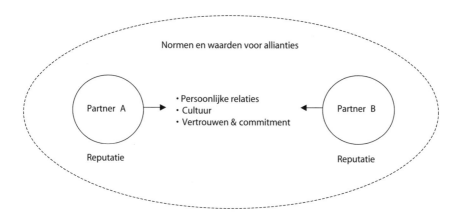

3.2.1 Reputatie: wat levert het op een goede partner te zijn?

Een informeel element dat niet zozeer in de specifieke relatie tussen partners ligt, maar aan ieder van de partners is verbonden, is de reputatie die een bedrijf heeft als partner. Wanneer een organisatie een goede reputatie heeft, zal bij een partner de angst afnemen dat die organisatie zich opportunistisch zal gedragen. De organisatie zal namelijk schade aan de reputatie willen voorkomen. Er zal immers niemand willen samenwerken met een bedrijf dat een slechte reputatie als alliantiepartner heeft. Zeker in sectoren waar bedrijven heel afhankelijk zijn van samenwerking is het van belang een goede reputatie als alliantiepartner op te bouwen. Op deze wijze helpt reputatie bij het bestuur van allianties: het vermindert de onzekerheid in de relatie en de kans op opportunistisch gedrag, waardoor een samenwerking niet alleen sneller tot stand kan komen maar er ook minder formele controlmechanismen nodig zijn.

Dit verklaart de nadruk die in de IT en de farmacie wordt gelegd op het worden van 'partner of choice' of 'premier partner'[6]. Eli Lilly bijvoorbeeld heeft er hard aan gewerkt om een reputatie op alliantiegebied op te bouwen. Uit onderzoek van IBM[7] blijkt dat Lilly daar steeds meer in slaagt. Lilly's partners ranken het als het beste bedrijf om mee te partneren. Figuur 3.3 laat zien dat dit niet altijd zo was. In 1999 zou slechts de helft van de Lilly partners, Lilly aan een ander bedrijf aanbevelen. In 2003 waardeert 90% van de partners Lilly als een goede partij om mee samen te werken. Door de goede reputatie hoopt Lilly de beste partners aan te kunnen trekken. Bedrijven met veelbelovende technologieën zullen Lilly sneller op de shortlist zetten als mogelijke alliantiepartner dan andere bedrijven.

Er kan dus wel enigszins op alliantiereputatie worden gestuurd, al vergt dit wel een langetermijnblik. In het Westland is ook bekend welke partijen goed zijn om mee samen te werken en welke niet. De laatste worden buiten samenwerkingsverbanden gehouden. Als een tuinder bij een andere tuinder in de kas komt kijken om de toepassing van een nieuwe techniek te bekijken en die tuinder laat anderen niet in zijn kas toe, dan wordt hij niet meer uitgenodigd om deel te nemen in samenwerkingsverbanden.

Figuur 3.3: Lilly's verbeterende reputatie als partner (Bron: Eli Lilly)

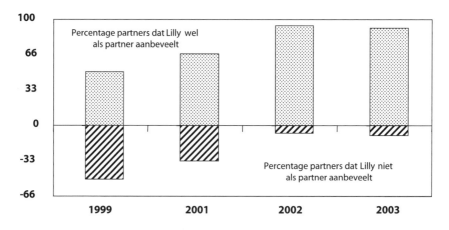

3.2.2 Persoonlijke relaties: het blijft mensenwerk

Persoonlijke relaties vormen het volgende informele element. Mensen van de verschillende partners moeten met elkaar over weg kunnen. De juiste teamsamenstelling voor een alliantie is van groot belang. Informele kennisoverdracht tussen werknemers van partners is in veel gevallen een belangrijke opbrengst gebleken van samenwerking. Om die gaande te krijgen is een goede relatie tussen personen noodzakelijk. Regelmatig contact en bijeenkomsten die de groepsspirit bevorderen, kunnen daarbij behulpzaam zijn.

Het is daarbij niet voldoende wanneer slechts twee personen aan beide zijden een goede relatie opbouwen. Wanneer een van de twee van functie verandert, is de alliantie dan immers kwetsbaar. De steun voor de alliantie moet in beide betrokken organisaties breder zijn dan dat.

3.2.3 Cultuurverschillen: bron van conflict en bron van leren

Een volgend aspect waar partners mee te maken hebben, zijn cultuurverschillen. Alliantites kunnen schade oplopen, maar ook profiteren van, culturele verschillen. Cultuurverschillen kunnen liggen op landniveau en op bedrijfsniveau. Nationale culturen en organisatieculturen verschillen en dit kan leiden tot andere manieren van communicatie en besluitvorming. In luchtvaartalliantites wordt dit vaak heel concreet omdat bijvoorbeeld de catering per luchtvaartmaatschappij erg verschilt, afhankelijk van het land waaruit de maatschappij afkomstig is. Bij code-sharing betekent dit dat de passagier niet altijd krijgt wat hij verwacht. Hij koopt een kaartje voor KLM, maar krijgt de service van Northwest. Begrip van deze verschillen vermindert de kans dat zij tot conflicten leiden in de alliantie. Binnen een alliantieteam kan ook een microcultuur ontstaan, doordat zich gewoontes en alliantiespecifieke normen en waarden ontwikkelen. Cultuurverschillen geven ook een mogelijkheid om van elkaar te leren[8]. Een partner die sterk hecht aan regels, kan bijvoorbeeld wat leren van een partner uit een land waar improvisatie belangrijker is en omgekeerd.

In onderzoek is vooral gekeken naar nationale culturen. Internationale samenwerkingsverbanden blijken dan aanzienlijk minder succesvol te zijn dan alliantites tussen partners die uit hetzelfde land komen. Is het gemiddelde succespercentage 51%, internationale alliantites komen niet verder dan een gemiddeld succespercentage van 39%[9]. Daarnaast wordt alliantiebesturing per land anders ingevuld. In sommige landen weegt het relationele aspect veel zwaarder dan het formele aspect.

Net als bij vertrouwen geldt dat de impact van cultuur wel van belang is, maar ook weer niet moet worden overschat. Het argument dat een samenwerking 'wegens cultuurverschillen' wordt beëindigd, wordt vaak te snel gebruikt. In de meeste gevallen gaat het eerder om verschillende werkwijzen, operationele procedures en organisatiestructuren dan om daadwerkelijk verschillende normen- en waardepatronen in organisaties.

3.2.4 Vertrouwen en commitment: de smeermiddelen van samenwerking

Vertrouwen en commitment, als tegenhangers van opportunisme en onzekerheid, zijn de volgende categorie van informele aspecten. Een partner kan worden vertrouwd op basis van zichtbare kenmerken, bijvoorbeeld omdat hij competent is gebleken, consistent gedrag vertoont, afspraken nakomt of omdat hij tot een zelfde culturele of etnische groep behoort[10]. Alle twintig partners van Prominent komen uit het Westland, waar al langer een klimaat van samenwerking heerst. Dat schept al een eerste vertrouwensband.

Vertrouwen kan een alliantie efficiënter maken, omdat minder controle op de partner hoeft te worden toegepast. Hoe groter het vertrouwen hoe kleiner de behoefte aan uitgebreide contracten met controlemechanismen. De rol van vertrouwen in de control- en trustbenadering moet dus vooral worden gezien in relatie tot de benodigde formalisering van de alliantie. Vertrouwen hangt vaak samen met minder regels. Het kan een alliantie ook effectiever maken, omdat het kan leiden tot meer uitwisseling van kennis en informatie waardoor nieuwe ideeën voor innovatie of optimalisering kunnen worden ontdekt. Wanneer door wantrouwen informatie wordt achtergehouden, zullen dergelijke mogelijkheden niet worden benut.

Veelal wordt vertrouwen gezien als noodzakelijk voor het slagen van samenwerking. Of dit juist is, is de vraag. KLM en Northwest hebben in het verleden voor de rechter geschillen beslecht, wat in ieder geval geen indicatie is van groot vertrouwen tussen de partners in die tijd (althans niet op het hoogste niveau; operationeel bleef de samenwerking succesvol). Toch is de relatie niet verbroken. Integendeel: de alliantie was en is heel succesvol. Het vertrouwen is later ook weer teruggekeerd. Een zelfde situatie doet zich voor bij allianties tussen biotechnologiebedrijven en farmaceutische bedrijven. Biotechbedrijven zijn vaak bang dat de farmabedrijven er met hun vindingen van door gaan, terwijl farmabedrijven bang zijn dat biotechbedrijven technologie inbrengen die nog verre van voldoende onderzocht is. Het wantrouwen is groot. In deze beide voorbeelden geldt echter dat er een zo grote noodzaak is tot samenwerken en dat de voordelen van samenwerking zo groot zijn, dat zelfs bij gebrek aan vertrouwen effectieve samenwerkingsverbanden kunnen ontstaan. De wederzijdse afhankelijkheid overtreft het wederzijdse wantrouwen.

Hoewel belangrijk, dient de rol van vertrouwen ook weer niet overschat te worden. Soms wordt mislukking van een alliantie ten onrechte aan gebrek aan vertrouwen geweten, terwijl er in werkelijkheid een fout in de formele afspraken ten grondslag ligt aan het falen. Onduidelijke afspraken leiden bijvoorbeeld vroeg of laat tot misverstanden die op hun beurt weer vertrouwen ondermijnen. De echte faalfactor is dan niet wantrouwen, maar slechte afspraken.

Commitment wordt meestal in één adem genoemd met vertrouwen[11]. Het gaat hier dan ook niet om financiële commitments die zijn aangegaan, maar om het gevoel van verbondenheid met een alliantie en de bereidheid aan de alliantie bij te dragen. Het kan voorkomen dat partners een verschillend commitment voelen. Een klein bedrijf dat als één van de vele partnert met een groot bedrijf, zal zich voor een groot deel aan dat bedrijf committen. Voor het grote bedrijf is het relationele commitment met het kleine bedrijf veel kleiner. Dit hoeft niet noodzakelijk een probleem te zijn, maar verschillen in commitment moeten wel worden onderkend om te voorkomen dat er onredelijke verwachtingen ontstaan. 'Voor ons had de alliantie een grote prioriteit omdat wij moesten inspelen op veranderingen in onze markt. Onze partner kwam echter uit een andere industrietak en voor hen stond de samenwerking met ons niet in de top tien prioriteiten. De omzet die de alliantie genereerde was voor hen relatief heel klein.' Dit citaat, afkomstig van de manager van een beëindigde alliantie, geeft de verschillen in commitment weer.

3.2.5 Normen en waarden: hoe gaan partners met elkaar om?

Het laatste informele aspect dat rondom alliantics een rol speelt, valt het best te omschrijven als algemene normen en waarden voor alliantics. Het gedrag dat in alliantics effectief is, wijkt af van gedrag in klant-leveranciersrelaties en competitieve relaties. De belangrijkste normen en waarden voor alliantics zijn[12]:

* Flexibiliteit/wederzijdse aanpassing. Organisaties dienen zich aan elkaar aan te passen en flexibel met elkaar om te gaan. Het initiële contract moet gezien worden als een begin, waarvanuit de samenwerking verder zal evolueren.
* Solidariteit/empathie. Partners moeten zich in elkaar kunnen verplaatsen en elkaar op gezette tijden steunen.
* Wederkerigheid. Een alliantie is geen éénrichtingsverkeer. Partners moeten elkaar ook wat gunnen en elkaar een dienst doen. Het moet duidelijk zijn dat het succes van de één afhangt van het succes van de ander.
* Conflictharmonisatie. Conflictharmonisatie heeft betrekking op de mate waarin er een wil is om conflicten op een coöperatieve wijze op te lossen.
* Terughoudend zijn met gebruik van macht. Partners moeten zichzelf beperkingen opleggen bij het uitbuiten van hun machtspositie in een relatie. Hoe meer gebruik van macht, hoe eerder een alliantie aan opportunistisch gedrag ten onder gaat. Dit betekent niet dat de machtsverdeling altijd gelijk moet zijn. Het gaat erom of een machtige partij zijn macht opportunistisch gebruikt om het belang van de machtigste te dienen of dat macht welwillend wordt ingezet, met ook het belang van de minder machtigen in gedachten.
* Lerende houding. Partners die niet bereid zijn te leren zullen het moeilijk hebben in een alliantie. Daarbij gaat het niet uitsluitend om leren van de business, maar ook om leren van en over de partner en leren samenwerken. Een alliantie heeft tijd nodig om zich te zetten en dat is een leerproces.
* Strategische blik. Partners moeten hun ogen op de strategie houden, zodat niet elk incident de samenwerking ondermijnt. Een goed begrip van de context waarin de samenwerking tot stand is gekomen, is daarbij onontbeerlijk.

Effectief alliantiegedrag wijkt af van effectief managementgedrag in andere situaties. Managers zullen moeten leren verschillende vormen van gedrag te hanteren in verschillende situaties. Traditionele inkopers en fusie- en overnamespecialisten zijn vaak slechte alliantiemanagers. Het gedrag dat effectief is in een inkoopsituatie of bij een fusie of overname is vaak niet effectief bij alliantics.

Een controlbenadering wordt sneller gehanteerd wanneer de partners zich deze normen en waarden niet hebben eigen gemaakt. Wanneer beide partijen wel een dergelijk normen- en waardepatroon hebben, is het minder noodzakelijk de formele controlelementen zwaar aan te zetten. In sommige gevallen kan een gedragscode helpen bij het tot stand brengen van een normen- en waardepatroon in een alliantie.

3.3 Formeel versus informeel

Over het algemeen dient in een alliantie zowel de formele als de informele kant ontwikkeld te zijn. In eenvoudige allianties zijn de formele en de informele kant echter substitueerbaar[13]: er kan gekozen worden voor een voornamelijk informele, relationele besturing of een voornamelijk formele besturing. Wanneer allianties complexer worden, dient echter zowel de formele als de informele kant goed te zijn ontwikkeld[14]. Dan zijn de formele en de informele kant complementair. Er is één afwijking van deze regel voor equity-allianties. Hoe groter het vertrouwen tussen de partners, hoe minder men gebruik maakt van equity-allianties[15]. Ook andere contractuele mechanismen om opportunisme te voorkomen worden dan minder ingezet[16], al zijn zij zeker niet afwezig.

Er is sprake van wederzijdse beïnvloeding van formele en informele mechanismen. Heldere en duidelijke formele afspraken kunnen het vertrouwen vergroten in de samenwerking en in de partner. Zulke afspraken verminderen de onzekerheid in de relatie en maken het ook makkelijker een partner op zijn prestaties aan te spreken. Het gevoel meer grip te hebben op de samenwerking vergroot het vertrouwen. Andersom blijkt dat wanneer een vertrouwensbasis tot stand is gekomen, partners minder behoefte hebben om door middel van een aandeelhoudersrelatie de relatie formeel te bezegelen.

In de trustbenadering zal dus meer nadruk liggen op de informele aspecten en in de controlbenadering op de formele. Tabel 3.1 vat nog eens samen hoe een trust- en een controlbenadering anders kunnen uitwerken op alliantiebesturing.

Tabel 3.1: Besturingselementen ingevuld in een control- en trustbenadering

	Invulling in de control-benadering	**Invulling in de trust-benadering**
Juridische vorm	Equity	Contract
Financiële afspraken	Gedetailleerd	Hoofdlijnen
Exclusiviteit	Ja	Nee
Leiderschap	Centraliserend	Delegerend
Cultuur	Problemen door cultuur-verschillen voorkomen	Benutten van cultuur-verschillen
Normen/waarden	Optimaliseren eigen winst	Optimaliseren alliantie

Uit de bovenstaande bespreking kan wellicht de indruk ontstaan dat partners zoveel mogelijk op elkaar moeten lijken om succesvol te zijn. Alle besturingselementen zijn er immers opgericht verschillen zoveel mogelijk te overbruggen. Hoe minder verschillen er zijn, hoe makkelijker dat gaat. Het concept van fit tussen partners dat vaak wordt gebruikt rondom allianties, lijkt dit ook te impliceren: hoe beter de strategische, organisatorische en culturele fit, hoe meer kans dat een samenwerking succesvol wordt.

Een betere fit maakt het natuurlijk makkelijker om samen te werken. Wanneer de doelen, processen en culturen van partijen beter bij elkaar passen, hoeven minder verschillen te worden overbrugd en is de kans op conflicten en misverstanden veel kleiner. Er is dus minder overleg nodig en er hoeft minder corrigerend te worden opgetreden.

Allianties zijn echter in eerste instantie gebaseerd op verschillen tussen organisaties. Een samenwerking waarin twee partijen precies hetzelfde inbrengen heeft weinig toegevoegde waarde. Het zijn juist de verschillen tussen partners die de toegevoegde waarde opleveren. Wanneer partners hetzelfde zijn, valt er niets meer van elkaar te leren.

Een goed besturingsmodel helpt om te voorkomen dat de verschillen leiden tot onoverkoombare onenigheid en stelt de partners in staat om optimaal te profiteren van elkaars unieke inbreng. De frictie die bij dit laatste ontstaat, genereert nieuwe ideeën en innovatie. Productieve frictie ontstaat alleen onder de volgende voorwaarden[17]:
- partijen hebben dezelfde visie voor ogen;
- de mensen met de juiste kennis en vaardigheden zijn ingezet;
- er is voor gezorgd dat iedereen over het zelfde praat, bijvoorbeeld door een prototype te maken van een product of door termen eenduidig te definiëren.

Is aan deze voorwaarden niet voldaan, dan zal de frictie snel omslaan in conflict. Op zoek gaan naar een partner met een goede fit betekent dus niet dat een partner moet worden gezocht met dezelfde cultuur, normen, waarden en soort mensen. Het kan ook betekenen dat een partner wordt gezocht die precies zoveel verschilt op deze elementen als nodig is om te innoveren.

3.4 Samenvatting

Concluderend geldt dat alliantiebesturing een multidimensioneel concept is. Een goed besturingsmodel omvat vele elementen. In wetenschappelijk alliantie-onderzoek wordt besturing vaak gelijkgesteld aan de manier waarop de samenwerking juridisch is vormgegeven, als een contract of een equity-relatie. Gelet op de diversiteit aan afspraken die kunnen worden gemaakt, lijkt dit een te beperkte benadering. Contractuele allianties kunnen door afspraken over bevoegdheden en financiën het effect van een joint venture benaderen en joint ventures kunnen zo worden ingericht dat zij bijna als een contractueel samenwerkingsverband worden bestuurd. Bovendien is besturing meer dan de eenmalige keuze van een vorm. Besturing vindt zowel ex ante (strategie, doel), ex post (winstdeling, evaluatie) als in medias res (monitoring, communicatie, gezamenlijke besluitvorming) plaats.

Organisaties zullen dus een besturingssysteem moeten ontwerpen waarin aan verschillende elementen aandacht is besteed. Sommige elementen zijn voornamelijk van formele aard, andere van informele. De manier waarop de elementen worden ingevuld verschilt van geval tot geval, maar hangt in belangrijke mate samen met de vraag of voor een trust- of een controlbenadering is gekozen. Alliantiebesturing vraagt om de invulling van veel verschillende elementen en er is niet één juiste manier om een besturingsmodel in te richten. Managers moeten spelen met de verschillende elementen om dat model te vinden dat het best bij een specifieke alliantie past.

De volgende hoofdstukken bespreken enkele besturingsmodellen uit de praktijk. Zij laten concreet zien hoe met de in dit hoofdstuk genoemde besturingselementen is omgegaan in een aantal cases en maken het mogelijk om meer richtlijnen voor alliantiebesturing te ontwikkelen. De eerste drie cases worden daarbij besproken in volgorde van toenemende mate van integratie, zoals ook in figuur 1.3 aangegeven. Multipartnerallianties worden in hoofdstuk 7 als een aparte categorie behandeld.

Noten

1   Kalmbach en Roussel, 1999
2   Todeva and Knoke, 2005
3   Gulati en Singh, 1998
4   Dekker, 2004
5   Futrell et al., 2001
6   Futrell et al., 2001
7   IBM, 2004.
8   Trompenaars en Hampden-Turner, 1997
9   De Man en Duysters, 2002
10 McAllister, 1995
11 Cullen et al., 2000
12 Deze bespreking is mede gebaseerd op Cannon et al., 2000
13 Lui en Ngo, 2005
14 Perry et al., 2004
15 Gulati, 1995; Norman, 2004
16 Iyer, 2002
17 Hagel en Brown, 2005

4
De Senseo-alliantie:
Philips en SaraLee/DE komen op de koffie

In dit hoofdstuk wordt aandacht besteed aan de meest voorkomende samenwerkingsvorm: de contractuele alliantie. In contractuele allianties hebben bedrijven geen deelnemingen in elkaar. Ook zetten ze geen gezamenlijke, nieuwe onderneming op. In plaats daarvan wordt hun relatie vastgelegd in een contract en/of business plan dat de belangrijkste verplichtingen, besluitvormingsprocessen, rollen en bijdragen van partners beschrijft. Na een bespreking van enkele kenmerken van contractuele allianties wordt aan de hand van de Senseo-case ingegaan op de besturingskenmerken van deze vorm van samenwerking.

4.1 Contractuele allianties: de meest voorkomende vorm van samenwerking

Contractuele allianties waren niet altijd de meest populaire vorm van samenwerking. In het verleden waren equity-allianties de meest voorkomende soort en dan met name joint ventures. In de loop van de tijd is daar verandering in gekomen en momenteel is in de hightech sectoren het merendeel van de allianties contractueel van aard (zie figuur 4.1). Buiten de hightech sectoren is dit ook het geval, al lijkt het aantal equity-allianties daar hoger te liggen wellicht zelfs op 25% van het totaal eind jaren negentig[1]. Dat ze een minderheid vormen betekent niet dat ze onbelangrijk zijn: zij hebben vaak juist een grotere impact in de markt. Het totale aantal equity-allianties lijkt ook redelijk stabiel te zijn. De procentuele daling komt doordat de groei in het totale aantal allianties sinds begin jaren tachtig zeer sterk is geweest en vooral heeft gezeten in contractuele samenwerkingsverbanden. Recentelijk is in de hightech de belangstelling voor equity-allianties weer wat toegenomen. Dit wordt onder andere veroorzaakt door de groei in zogenaamde corporate venturing activiteiten, waarbij grotere bedrijven een minderheidsbelang nemen in kleine innovatieve bedrijfjes.

Figuur 4.1: Contractuele allianties als percentage van het totaal aantal allianties in hightech, 1971-2000 (driejarig gemiddelde)[2]

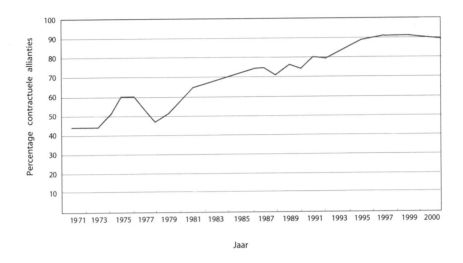

Ook de aard van de activiteiten die in allianties werden uitgevoerd is in de loop van de tijd veranderd. In de jaren zestig waren joint ventures in het bijzonder populair voor internationalisering[3]. Veel bedrijven die buiten de eigen landsgrenzen actief wilden worden, zetten in die tijd gezamenlijke ondernemingen op met lokale partners uit het land waar zij toegang toe zochten. In de loop van de jaren zeventig breidden deze marketing- en verkoopactiviteiten zich geleidelijk uit met productie en R&D. Deze trend zette zich door en met de toename van innovatieve samenwerking nam ook het aantal contractuele samenwerkingsverbanden toe.

Met deze veranderingen in de aard van allianties, trad ook een verschuiving op in de beoordeling van allianties. In de jaren zestig en zeventig werden zij ofwel gezien als een randverschijnsel, ofwel met argwaan bekeken omdat zij de mededinging zouden beperken. In de loop van de jaren tachtig ontstond echter een positiever beeld. Door hun bijdrage aan R&D werden ze steeds meer gezien als een bron van economische ontwikkeling. De omvang van de alliantieactiviteit betekende ook dat ze geen randverschijnsel meer waren. Steeds vaker gingen bedrijven allianties aan die diep ingrepen in hun organisaties en die steeds meer verbonden raakten met de kerncompetenties waarop zij hun concurrentievoordeel baseerden.

De populariteit van contractuele allianties is te verklaren uit het feit dat zij beter passen bij de huidige bedrijfsomgeving. Contractuele allianties zijn vrij snel op te zetten en vormen dus een goed mechanisme om met veranderingen in de omgeving om te gaan. Ook worden ze steeds meer gebruikt om tegen een laag risico iets over een nieuwe technologie te leren. Aangezien er veel verschillende nieuwe technologieën in omloop zijn, is het niet mogelijk om in alle technologieën te investeren. Door een minder intensieve relatie aan te gaan met een bedrijf met een mogelijk interessante technologie kan tegen een beperkt risico worden uitgevonden of die technologie inderdaad interessant is of niet. Tenslotte is in een snel veranderende omgeving samenwerking meestal tijdelijk van aard. De kosten van beëindiging van allianties spelen daardoor ook een rol bij de keuze van de alliantievorm. Contractuele allianties zijn over het algemeen eenvoudiger te beëindigen dan equity-allianties. Aandelen zijn immers lastig te verkopen en joint ventures zijn niet eenvoudig op te heffen. Dit is in het bijzonder een nadeel in dynamische sectoren, waarin niet te voorspellen is of de partner van vandaag over twee jaar ook nog interessant is als partner. Turbulentere omgevingen vragen om flexibelere allianties en die flexibiliteit wordt eerder bereikt met contracten dan met aandelen.

4.2 Vele doelen, vele vormen

Met contractuele allianties kan een groot aantal doelstellingen worden gerealiseerd. Tabel 4.1 geeft enkele samenwerkingsverbanden van Nederlandse bedrijven weer, die in de afgelopen jaren zijn aangegaan. De variëteit in de doelstellingen is aanzienlijk. Het gaat om fundamentele R&D, productintroducties, gezamenlijke verkoop en toegang tot elkaars markten.

Tabel 4.1: Enkele allianties van Nederlandse bedrijven

Partners	Aangekondigd	Doel
Organon-Pfizer	2003	Ontwikkeling en commercialisatie van medicijnen tegen schizofrenie en bipolaire gedragsstoornissen
Crucell-DSM	2002	Samenwerking in de ontwikkeling en commercialisering van een technologie-platform voor de ontwikkeling van biofarmaceutica
ABN Amro-Acerta	2003	Verkoop aanvullende pensioen-verzekeringen in België
Philips-Unilever	2004	Ontwikkeling van nieuwe producten op het gebied van strijken
TNT-CTT Correios	2002	Gezamenlijke dienstverlening in Portugal op het gebied van wereldwijde expres bezorgdiensten
KPN-Singtel	2004	Levering van netwerkoplossingen aan zakelijke klanten

Bron: Persberichten van de betrokken ondernemingen

Omdat contractuele allianties zoveel voorkomen en zoveel verschillende doelen kunnen hebben, zijn er ook veel verschillende vormen van contractuele samenwerking. Een belangrijke keuze hierbij is de termijn van samenwerken. Allianties met een lange looptijd bieden een aantal voordelen. In een langdurige stabiele relatie kunnen grotere investeringen worden gedaan waardoor zij meer impact kunnen hebben in de markt. Ook zijn de mogelijkheden om van elkaar te leren veel groter omdat het enige tijd duurt voordat partijen elkaar hebben leren kennen. Nieuwe mogelijkheden van een samenwerking worden soms pas na een tijd ontdekt. Ook de transactiekosten nemen in de loop van de tijd af. Het is namelijk niet nodig telkens een nieuwe partner te zoeken. Daar staat tegenover dat bij langetermijnrelaties wisselen van partner moeilijk is, omdat de verwevenheid tussen de partners in de loop van de tijd pleegt toe te nemen. Een ander nadeel van langdurige samenwerking is dat er na verloop van tijd weinig nieuws meer van elkaar te leren valt. Door kortere samenwerkingsverbanden aan te gaan met verschillende partijen krijgt een bedrijf toegang tot meer diverse kennisbronnen.

De keuze voor een korte- of langetermijnsamenwerking wordt vooral bepaald door de mogelijkheden tot waardecreatie. Als partijen maar één keer waarde aan elkaar hebben toe te voegen, is een kortetermijnrelatie logisch. Wanneer er mogelijkheden zijn om gezamenlijk te leren of een markt te ontwikkelen en daarmee continu waarde toe te voegen, is een samenwerking voor de langere termijn het overwegen waard.

Bedrijven hebben daarbij de neiging om de mogelijkheid tot leren en de opbrengsten van gezamenlijke investeringen te onderschatten. Allianties leiden vaak onder een outsourcingsmentaliteit, waarbij de kortetermijnwinst wel wordt herkend, maar de opbrengsten op lange termijn niet. Het bekendste voorbeeld hiervan zijn de allianties die Toyota heeft gesloten met zijn toeleveranciers: door een langetermijnrelatie aan te gaan, bleek Toyota uiteindelijk een betere kwaliteit tegen lagere kosten te realiseren, dan Amerikaanse autoproducenten die uitsluitend op laagste kostprijs inkopen en voor minimale prijsverschillen overstappen naar een andere leverancier[4]. De langetermijnrelaties bij Toyota betekenen dat toeleveranciers bereid zijn veel meer te investeren in bijvoorbeeld productkwaliteit, omdat zij er zeker van zijn dat zij die investeringen kunnen terugverdienen. Bij de Amerikaanse autoproducenten is dit denken niet geland. Lagere inkoopprijzen worden daar hoger gewaardeerd dan leren en innoveren. Leveranciers die alleen tegen laagste prijzen moeten leveren hebben geen stimulans om mee te denken met de klant. Immers: 'When you pay peanuts, you get monkeys'.

De belangrijkste managementuitdaging van het contractuele model ligt in het verkrijgen van control. Omdat de integratie vaak beperkt is, is het lastig de partner te controleren. Open boek accounting, waarbij de partners elkaars kosten en baten van de alliantie kunnen zien, is een middel om dit te voorkomen evenals verschillende andere soorten audits. Zeker voor kleinere allianties zijn dit echter relatief zware middelen waarbij de kosten niet opwegen tegen de baten. Daarnaast is het makkelijker contracten te verbreken dan equity-relaties te beëindigen, zodat het ook makkelijker is voor een partner om opportunistisch gedrag te vertonen en een contractuele alliantie stop te zetten.

Goede contracten zijn daarom noodzakelijk. Dat hoeft niet te betekenen dat ze lang en complex zijn. De lengte van contracten kan aanmerkelijk verschillen. Sommige grote allianties kunnen met korte contracten toe en soms zijn er kleinere allianties met vrij uitgebreide contracten. Daarbij wordt natuurlijk veel bepaald door de aard van de alliantie, maar ook de relatie tussen bedrijven speelt een rol. Wanneer er al een vertrouwensrelatie is, maken partijen soms minder gedetailleerde afspraken. Ook nationale invloeden doen zich gelden. Amerikanen hebben behoefte aan dikkere contracten dan Japanners. In Bijlage A is een overzicht te vinden van de hoofdpunten die in een alliantiecontract kunnen worden opgenomen.

Een laatste managementuitdaging voor contractuele allianties is dat de verschillen tussen partijen snel moeten kunnen worden overbrugd. Zeker in kortlopende relaties is dit lastig, omdat dit vaak veel tijd kost. Verschillen in kennis, werkwijze en cultuur leiden vaak tot misverstanden en onbegrip. Het kost tijd om aan elkaar te wennen. Contractuele relaties beperken zich daarom veelal tot een klein deel van de organisaties, zodat een verdergaande integratie niet nodig is en de genoemde problemen beperkt blijven.

Er geldt dus dat er niet één beste bestuursmethode is voor alle contractuele allianties, maar dat per relatie moet worden bekeken wat de beste vorm is. Om toch grip te houden op de verschillende contractuele allianties die zij hebben, onderscheiden grote bedrijven groepen van allianties, waarbij elke groep eigen rechten, plichten en een eigen bestuursstructuur heeft. IT-bedrijven zijn hier het verst mee gevorderd. Zij maken onderscheid in het belang van de partners en de soort partner (bijv. marketing of technologie). Elk van die groepen kent een eigen bestuursvorm. Dit soort structuren is echter vooral van toepassing op eenvoudige allianties, die door een enkele alliantiemanager kunnen worden geleid. Voor complexe allianties bieden dit soort structuren geen soelaas. Daar dient voor elke alliantie een aparte oplossing te worden verzonnen. Ingewikkelder bestuursstructuren zijn dan noodzakelijk. De Senseo-alliantie tussen Philips en Sara Lee/Douwe Egberts (DE) is hier een voorbeeld van.

4.3 De Senseo-alliantie

In 2001 werd in Nederland de Senseo geïntroduceerd: een nieuwe manier van koffie zetten waarbij vaste hoeveelheden koffie, verkocht in zogenaamde pads, werden gecombineerd met een geheel nieuw koffiezetapparaat. Medio 2005 waren er in Nederland drie miljoen apparaten verkochten. Wereldwijd lag het aantal verkopen op tien miljoen, verdeeld over een aantal Europese landen,

Australië en de Verenigde Staten. Met Senseo hebben Philips en Sara Lee/DE weer nieuw leven geblazen in twee markten die volledig leken te zijn uitgekristalliseerd: die van koffiezetapparaten en die van koffie.

De twee partners hadden al geruime tijd informeel contact met elkaar over ideeën omtrent de koffiemarkt, maar de eerste serieuze gesprekken begonnen in 1998. Beide partners hadden onderkend dat hun huidige producten aan vernieuwing toe waren. Sara Lee/DE was al bezig met de ontwikkeling van een schuimlaag op de koffie, die later het kenmerk van de Senseo-koffie zou worden. Philips had ook al enkele gedachten over andere manieren van koffie zetten ontwikkeld.

Gezamenlijk werd een concept bedacht, dat gericht was op het creëren van meer koffiemomenten op de dag. Daarbij was het belangrijk om onderscheidend te zijn ten opzichte van concurrenten, een juiste smaak en selectie aan koffiepads te creëren en continue kwaliteit van koffie te garanderen. Dit laatste werd bereikt door anders dan bij een traditioneel koffiezetapparaat zowel de hoeveelheid koffie als de hoeveelheid water die wordt gebruikt niet door de klant te laten bepalen, maar door de pads en het apparaat. Daarnaast was het noodzakelijk een goed design voor het apparaat te ontwikkelen en een snelle introductie te garanderen.

Het laatste punt was van belang om snel veel apparaten bij de consument in huis te krijgen, zodat niet alleen de opbrengsten snel zichtbaar werden, maar ook nieuwe koffiesystemen van concurrenten de pas kon worden afgesneden. Om dat te bereiken werd het apparaat relatief goedkoop op de markt gebracht. De relatief lage marge op het apparaat wordt gecompenseerd door Philips ook te laten delen in de opbrengst van de verkoop van koffiepads[5].

In het contract dat Philips en Sara Lee/DE gesloten hebben is de samenwerking afgebakend tot de 'portioned coffee' markt, waarbij voor die markt een exclusieve samenwerking werd afgesproken. De samenwerking is steeds automatisch verlengd. Er is gekozen voor een contractuele overeenkomst omdat er geen voordelen te realiseren zijn met een joint venture. De organisaties zijn geheel verschillend en er is geen winst te behalen door de activiteiten te combineren in een aparte organisatie.

4.4 Senseo's spiegelstructuur

Al vrij snel in het begin van de alliantie is een bestuursstructuur opgezet, zoals weergegeven in figuur 4.2. Deze structuur kent een aantal elementen gebaseerd op een spiegelstructuur, waarbij op verschillende niveaus in de organisaties van hoog tot laag de partners contactpersonen hebben aangewezen. In de internationale literatuur staat deze bestuursstructuur bekend als het multiple points of contact model. Hiërarchisch gezien zijn er drie verschillende lagen:

- de International Steering Committee;
- National Steering Committees, die per land verantwoordelijk zijn voor verkoop van Senseo;
- gezamenlijke verkoopteams.

Daarnaast zijn er twee overlegorganen die zich bezighouden met respectievelijk marketing en de ontwikkeling van het merk (de Marketing & equity meeting) en met productontwikkeling (de PIM meeting).

Figuur 4.2: Bestuursstructuur van de Senseo-alliantie

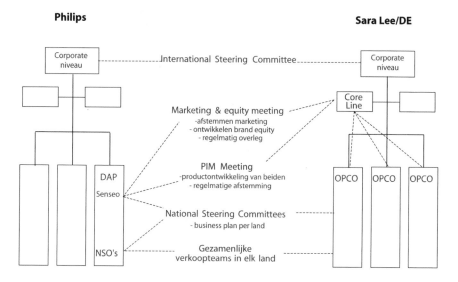

De International Steering Committee (ISC) bestaat uit drie vertegenwoordigers van corporate niveau van elk van de partners. De ISC stelt het business plan vast en de product roadmap, die aangeeft welke doorontwikkeling in apparaat en koffiepads zal gaan plaatsvinden. Er zijn jaarlijkse en in sommige gevallen halfjaarlijkse reviews met de Nationale Steering Committees om te zien of de doelstellingen van de nationale business plannen worden gehaald. De International Steering Committee komt eens in de twee maanden bij elkaar.

De National Steering Committees zijn per land samengesteld uit vertegenwoordigers van de nationale Operating Companies (OPCO's) van Sara Lee/DE en vertegenwoordigers van de National Sales Organizations (NSO's) van Philips. Zij ontwikkelen een business plan voor hun land voor drie jaar, dat door de International Steering Committee moet worden goedgekeurd. Het business plan bevat de gebruikelijke zaken als onder meer geplande verkoop en een advertentie- en promotieplan.

De spiegelstructuur is doorvertaald tot aan het meest operationele niveau: ook de lokale verkoopteams gaan gezamenlijk naar de klant. Verkoopmedewerkers van beide partijen gaan bijvoorbeeld naar supermarktketens om daar Senseo aan te prijzen.

De Marketing & Equity meeting zorgt voor afstemming van de marketing en de ontwikkeling van het merk (brand equity). Deze groep werkt wereldwijd en heeft regelmatig overleg. De kosten en baten van marketingacties worden van geval tot geval bekeken: in onderling overleg wordt per actie vastgesteld hoe de kosten worden verdeeld.

In de PIM meeting vindt continue afstemming plaats tussen productmanagers over nieuwe koffieblends en nieuwe modellen van het Senseo-apparaat. Deze worden vaak tegelijkertijd geïntroduceerd. Ook ontwikkelt de PIM meeting de product roadmap die de International Steering Committee moet goedkeuren. In principe werkt de PIM meeting ook globaal, maar soms zijn regionale aanpassingen aan het product noodzakelijk. Zo moeten in Amerika grotere mokken onder het apparaat passen. Over het algemeen worden de interfaces tussen apparaat en pads besproken, waarna ontwikkelteams in elke organisatie afzonderlijk ontwikkelen, met regelmatig tussentijds overleg en tests. De partijen treden daarbij echter niet op elkaars competentiegebied: uiteindelijk beslist DE over de koffieblends die het op de markt wil brengen en Philips over de apparaten. Er is dus sprake van een moderne variant van soevereiniteit in eigen kring. Op die manier wordt de kennis van elk van de partijen optimaal benut en ontstaat geen eindeloos overleg over de vraag wie, wat op de markt brengt en waarom.

De gelaagde structuur maakt het mogelijk om problemen die op een lager niveau niet kunnen worden opgelost, naar een hoger niveau door te spelen. Dit zogenaamde escalatiemodel werkt heel goed, omdat het ervoor zorgt dat problemen tijdig worden doorgespeeld zodat zij niet te lang de relatie op een lager niveau belasten.

4.5 Verschillen overbruggen

Een complicerende factor is dat beide organisaties hun activiteiten voor Senseo intern apart hebben georganiseerd. Toen Senseo een groot succes begon te worden, heeft Philips ervoor gekozen alle Senseo-activiteiten in een aparte eenheid (line of business) onder te brengen, met een eigen winst- en verliesrekening. Een zeer groot deel van de besluitvorming rondom Senseo is daarmee gecentraliseerd. Sara Lee/DE heeft een decentraler organisatiemodel. Voor marketing en verkoop ligt daar de verantwoordelijkheid bij de verschillende landenorganisaties, de OPCO's. Waar Philips over marketingacties beslist binnen de Senseo line of business, wordt in Sara Lee/DE daarover beslist in de OPCO's. Ook bepalen de OPCO's of en zo ja wanneer een nieuwe productvariëteit wordt gelanceerd. Marketing & equity en Productontwikkeling zijn bij Sara Lee/DE wel gecentraliseerd in de zogenaamde Core Line organisatie. De Core Line organisatie stimuleert de OPCO's om mee te werken met marketing en productintroducties.

De Senseo line of business wordt geleid door de business manager, die tegelijkertijd de belangrijkste rol als alliantiemanager vervult. Naast vertegenwoordiger van Philips is hij binnen Philips ook degene die de alliantie binnen Philips moet 'verkopen'. Dit houdt soms ook in dat hij binnen Philips begrip moet kweken voor Sara Lee/DE en moet uitleggen wat karakteristiek is voor hun business, om zo het begrip voor de alliantiepartner te vergroten.

Een andere complexiteit voor de planning- en controlcycli van de twee organisaties is dat de fiscale jaren niet synchroon lopen. Bij Philips eindigt het fiscale jaar op 31 december, bij DE op 30 juni. De budgettering voor nieuwe jaren loopt dus ook niet helemaal gelijk. Vandaar dat er soms ook een halfjaarlijkse review van de business plannen is terwijl een jaarlijkse review zou kunnen volstaan. Dit is nodig omdat één van partners de budgetten voor het volgende jaar moet opstellen. De problematiek rondom het fiscale jaar levert dan ook wat extra werk op rondom rapportage.

Natuurlijk zijn er meer verschillen tussen de organisaties. Als producent van apparaten moet Philips langer vooruit plannen dan DE. Een koffieblend is sneller in het productieproces van DE in te passen, dan een nieuwe versie van het Senseo-apparaat in de productielijn van Philips is op te nemen. Ook denkt Philips in termen van doorontwikkeling van producten en van het creëren van verschillende versies van apparaten. In de sector van DE was dat soort denken minder gebruikelijk. De partners hebben natuurlijk enige tijd nodig gehad om zich op die verschillen in te stellen. De verschillen in werkwijze, maar ook de verschillen in cultuur, zijn onderwerp van aandacht in de alliantie. Er is onder andere een cultuursessie geweest, waarbij de verschillen in cultuur in kaart werden gebracht. Dat leidde tot groter begrip tussen de twee organisaties, waarbij het overigens opvallend was dat de culturen dichterbij elkaar lagen dan men eigenlijk dacht. Overigens geldt dat verschillen tussen personen meer van belang zijn dan die tussen organisaties. Sommigen zijn meer geneigd te kijken naar de letter van het contract, terwijl anderen meer de geest van het contract nastreven. Voor de wijze waarop de alliantie wordt bestuurd is dit een belangrijk verschil.

De relatie tussen de partners is dus goed te noemen. De gekozen bestuursstructuur blijkt effectief te zijn. Waar nodig passen Philips en Sara Lee zich aan elkaar aan in de dagelijkse gang van zaken (zoals ook blijkt uit de manier waarop met de verschillende fiscale jaren wordt omgegaan). Continue communicatie is daarbij van groot belang. De spiegelstructuur blijkt daaraan bij te dragen.

De stabiliteit van de relatie blijkt ook uit het feit dat er tot eind 2005 geen aanpassing is geweest in het oorspronkelijke contract. Nog afgezien van het feit dat aanpassing van het contract kosten met zich meebrengt, die de partners liever vermijden, was het ook niet noodzakelijk wijzigingen aan te brengen. Dit betekent niet dat er geen continue onderhandeling is: integendeel, er is juist continue onderhandeling over alle aspecten. Het blijkt echter niet nodig te zijn de uitkomsten daarvan in het contract te verwerken. Het vindt eerder zijn weerslag in de business plannen, roadmaps en afspraken over marketing. Deze kunnen allemaal binnen de bestaande bestuursstructuur worden gemaakt.

Andere wijzigingen in het alliantiebestuur hebben zich niet voorgedaan. Wel betekent het succes van Senseo dat het top management van de organisaties veel meer aandacht aan Senseo is gaan besteden. Binnen Philips is het een model geworden van succesvolle samenwerking. Soortgelijke modellen hanteert Philips bij andere allianties zoals rondom de thuistap PerfectDraft die met Interbrew succesvol in de markt is geïntroduceerd.

Het belangrijkste incident waar de Senseo-alliantie mee te maken had, was het feit dat de patentbescherming op de koffiepads niet houdbaar bleek te zijn. Er was vanuit gegaan dat bedrijven die de pads zouden imiteren, juridisch de pas zou kunnen worden afgesneden. Dit bleek echter niet het geval, met als gevolg dat een groot aantal imitatiepads op de markt kwam. Daarmee liep de alliantie een belangrijk deel van de inkomsten mis. Omdat het succes van de Senseo groter was dan verwacht, bleef de samenwerking financieel interessant om voort te zetten. De voordelen van gezamenlijke productontwikkeling zijn ook aanzienlijk, ongeacht of de pads geïmiteerd worden of niet.

4.6   Control en trust in de Senseo-samenwerking

In termen van control en trust geldt dat in de Senseo-alliantie beide tegelijk zijn vormgegeven. Er zijn heldere contractuele afspraken over wie wat inbrengt en hoe de waarde wordt verdeeld. Door de wederzijdse afhankelijkheid wordt opportunistisch gedrag van de partner voorkomen. Daarnaast is er een duidelijke planning- en controlcyclus in de alliantie met een bijbehorende besluitvormingsstructuur. Er zijn echter ook elementen van de trustbenadering aanwijsbaar. De alliantie is er bijvoorbeeld juist op gericht de verschillen van de partners te benutten en gezamenlijk te innoveren. Naast aandacht voor verdeling van de taart, is er primair aandacht voor het vergroten van de taart. De wederzijdse aanpassing en het gegroeide vertrouwen zijn belangrijke elementen van het succes van deze alliantie. Door te leren van verschillen in cultuur en werkwijze zijn deze verschillen overbrugbaar gebleken. Er is dus zowel control als trust; beide benaderingen worden aanvullend ingezet en versterken elkaar (zie tabel 4.2).

Tabel 4.2: Control- en trustelementen in de Senseo-alliantie

Controlelementen	Trustelementen
Contractuele afspraken over waardeverdeling	Focus op waardecreatie
Heldere besluitvormingsstructuur	Wederzijds aanpassen
Planning & controlcyclus	Vertrouwen
Hiërarchie in de alliantie (spiegelstructuur)	Leren van verschillen

Voor de formele en informele bestuursmechanismen geldt hetzelfde. Ook deze zijn beide ingevuld. De formele mechanismen zijn sterk ontwikkeld. Er is een complete planning- en controlcyclus ingevoerd, met een heldere planning, rapportage en monitoring cyclus. Ook is er een hiërarchie van committees in de allianties, waarbij bevoegdheden en besluitvormingsprocessen helder zijn gemaakt. Daarnaast zijn ook communicatiestructuren en conflictoplossingsprocedures gedefinieerd. Tegelijkertijd is er sprake van vertrouwen en commitment en is ook aan de cultuurkant van de samenwerking aandacht besteed. Algemenere normen en waarden die in de alliantie aanwijsbaar zijn, zijn: wederzijdse aanpassing, wederkerigheid, conflictharmonisatie, lerende houding en een strategische blik. In de Senseo-alliantie wordt dus een groot scala van verschillende besturingsmechanismen ingezet. Aangezien er sprake is van een complexe relatie, is het niet voldoende slechts een beperkt aantal besturingsmechanismen in te vullen. Een breed aantal aspecten verdient aandacht.

Dynamiek in de relatie wordt vooral opgevangen in de bestaande bestuursstructuur. Deze is voldoende robuust om met veranderingen om te gaan. Formele aanpassingen in de bestuursstructuur zijn dan ook niet nodig geweest. Informele aanpassing is echter doorlopend aanwezig. Wederzijdse aanpassing en continue onderhandeling zijn onderdeel van de dagelijkse gang van zaken. Wel is er een belangrijke aanpassing gedaan aan de interne bestuursstructuur van de alliantie in Philips. Door voor Senseo een aparte line of business te creëren is intern bestuurlijke helderheid verkregen over wie bevoegd is voor Senseo welke beslissing te nemen. Dit maakt het voor Philips intern ook transparant wat er in de alliantie gebeurt. De Senseo line of business wordt immers afgerekend op de resultaten.

4.7 Wanneer is een contractuele alliantie de juiste vorm?

Gebaseerd op het voorgaande zijn enkele omstandigheden aan te geven waaronder het contractuele model met spiegelstructuur relevant is. Als eerste geldt dat er sprake moet zijn van complementaire partners die niet zozeer elkaars competentie willen overnemen, maar er wel toegang toe willen[6]. Sara Lee/DE heeft geen ambitie om een positie op te bouwen in huishoudelijke apparaten evenmin als Philips zichzelf als koffiemerk wil positioneren. Ze hebben wel elkaars competenties nodig om iets nieuws op de markt te brengen. Vergaande integratie is dan ook niet nodig: de partijen willen maar beperkt van elkaar leren en er vallen ook geen schaalvoordelen te behalen door nog meer af te stemmen. Het gaat om het vinden van een slimme combinatie van competenties.

Dit soort samenwerking is bij allianties in het algemeen van belang. Concurrentievoordeel is steeds meer gaan draaien om innovatie en innovatie vindt vaak plaats op of over het grensvlak van sectoren. Veel allianties bestaan dan ook uit onverwachte partnercombinaties. Voorbeelden uit de afgelopen jaren zijn ondermeer: Deutsche Bank-Nokia (betalen via de mobiel), Disney-McDonald's (co-marketing), Microsoft-Lego (gaming), Mercedes Benz-Swatch (Smart car), Heinz-Lay's (chips met de smaak van tomatenketchup) en Heineken-Krups (BeerTender). Allianties scheppen de mogelijkheid voor totaal verschillende organisaties om hun kennis te combineren in innovatieve producten. Fusies of overnames zijn voor dit soort combinaties van kennis meestal minder geschikt omdat het veelal onmogelijk is zeer verschillende activiteiten binnen één onderneming tot ontplooiing te brengen of omdat er slechts tijdelijk behoefte is aan een bepaalde combinatie van kennis.

Ten tweede, maar deels samenhangend met het vorige punt, gaat het bij contractuele allianties zoals hierboven besproken om allianties met een beperkte scope. Er wordt niet een hele business of waardeketen in de alliantie ondergebracht, maar er wordt samengewerkt op een aantal punten in een verder nauw omschreven gebied (packaged coffee), waarbij elke partner verder onafhankelijk een deel van het product kan ontwikkelen. Hier wordt bij uitstek gebruik gemaakt van het kenmerk van allianties dat zij precies te richten zijn op één element uit de business van een partner.

De benodigde integratie van de partners is daarmee laag. De precieze interfaces moeten worden gedefinieerd, maar zeer gedetailleerde uitwisseling van kennis op de kerngebieden van de partners is niet nodig. De alliantie hoeft daarom ook geen onafhankelijke positie in te nemen ten opzichte van de partners. De eenheid die verantwoording moet afleggen en die wordt gebruikt als basis voor het calculeren van winst en verlies (de accountable entity) is niet de alliantie, maar ligt in elk van de partners. In Philips is de aparte line of business de accountable entity; in Sara Lee zijn de OPCO's de eenheden die worden afgerekend op hun prestaties.

Samenvattend laten de theorie en de Senseo-case zien dat bestuur van contractuele allianties vraagt om heldere afspraken en een juiste combinatie van overleg- en besluitvormingsorganen. Er is ook een hiërarchie in de alliantie aanwezig. Daar blijft het echter niet bij. Wederzijdse aanpassing en continue onderhandeling zijn een belangrijk kenmerk van samenwerking. Hoewel contractuele allianties vaak als een eenvoudiger vorm van samenwerking worden gezien dan equityallianties blijkt dat de eisen aan het bestuur juist hoog zijn.

Noten

1   Pekàr en Margulis, 2003
2   Duysters en De Man, 2003
3   Deze en de volgende alinea is gebaseerd op Dussauge en Garette, 1999
4   Dyer, 2000
5   NRC Handelsblad, 2005
6   Grant en Baden-Fuller, 2004

5

KLM en Northwest: de samenwerking neemt een grote vlucht

In dit hoofdstuk wordt aandacht besteed aan een vergaande vorm van samenwerking. Aan de hand van de alliantie van KLM en Northwest wordt de vorm van de virtuele joint venture beschreven. In deze vorm brengen twee partners een belangrijk deel van hun business onder in een contractuele alliantie. Naast het alliantiebestuur wordt ook de geschiedenis van de alliantie geschetst en wordt getoond hoe de bedrijven in staat zijn geweest hun activiteiten bijna naadloos op elkaar af te stemmen.

5.1 Virtuele joint ventures

De virtuele joint venture is een contractuele samenwerking waarin een deel van de business van twee of meer bedrijven is ondergebracht waarbij die business wordt gerund voor gezamenlijke rekening, zonder dat een gezamenlijke onderneming wordt opgericht. Dit betekent dat de alliantie de accountable entity is en dat alle kosten en baten die de partners maken, worden verrekend volgens een vantevoren vastgestelde verdeelsleutel. De overige delen van de business van de partners zijn niet in de alliantie betrokken. Omdat bij de samenwerking geen aparte juridische entiteit wordt opgericht, zoals bij een 'echte' joint venture, is er sprake van een virtuele joint venture.

De complexiteit van deze definitie impliceert al dat weinig bedrijven van deze vorm gebruiken maken. Toch is het ook weer geen uiterst zeldzaam model en lijkt het gebruik toe te nemen. Zo worden bijvoorbeeld investering in ketens steeds meer tussen verschillende ketenpartners verrekend. Een investering in een schakel van een keten kan leiden tot extra kosten of opbrengsten in een volgende stap. Om kosten en baten toch evenwichtig te verdelen, kan dan worden afgesproken om op ketenniveau naar kosten en baten te kijken. Dit is weliswaar een beperkte toepassing van het concept van de virtuele joint venture, maar het is weldegelijk een stap naar een meer complex model van samenwerking. Er wordt in dit kader wel gesproken van quasi-integratie: allianties die het effect van een fusie benaderen, zonder daadwerkelijk tot fusie over te gaan. Profit pools die vroeger gebruikelijk waren, maar tegenwoordig minder voorkomen omdat zij geen genade vinden in de ogen van mededingingsautoriteiten, zijn ook voorbeelden van virtuele joint ventures.

Het virtuele joint venture model kent een complexe besturing. Op velerlei gebied zijn vergaande en gedetailleerde afspraken nodig, zonder dat deze de ontwikkeling van de samenwerking mogen belemmeren. De ontwikkeling van een adequaat bestuursmodel is dus de eerste managementuitdaging bij het opzetten van een virtuele joint venture.

Een tweede uitdaging betreft het belangrijke element van de verrekening van kosten en baten. Dit is natuurlijk een heikel punt in elke alliantie, maar in virtuele joint ventures is dat bij uitstek het geval. Voor een goed functioneren van deze joint ventures is een zeer vergaande mate van transparantie van de kosten en baten van alle partners vereist. Meestal wordt dit bereikt door het invoeren van open boek accounting, waarbij de partners de kosten en opbrengsten die gepaard gaan met de alliantie geheel aan elkaar openbaar maken. Open boek accounting komt voor in vele soorten en maten en de mate waarin gegevens met elkaar wordt gedeeld kan sterk verschillen. Onderzoek naar open boek accounting in allianties is nog niet gedaan. Onderzoek naar het gebruik in klant-leveranciersrelaties laat wel enkele voorwaarden zien waaraan moet zijn voldaan om tot succesvolle implementatie van open boek accounting te komen, die ook van toepassing lijken op allianties[1]. Zo moeten beide partijen voordeel hebben van open boek accounting, beiden moeten de wil hebben het te voeren, allebei moeten ze accurate informatie kunnen geven, de verschillen in cost accounting systemen mogen niet te groot zijn en beide partners moeten voldoen capaciteit hebben om het veelal bewerkelijke systeem van open boek accounting in te voeren. Tenslotte moeten de partijen het eens kunnen worden over de wijze van implementatie. Al deze voorwaarden geven aan dat het meestal niet eenvoudig is tot een redelijke verdeling van baten en kosten te komen.

Een laatste probleem is eerder emotioneel dan zakelijk van aard. Wanneer winsten gedeeld worden en bedrijven in vergaande mate zijn geïntegreerd verliest een bedrijf een belangrijk deel van zijn onafhankelijkheid. Nu wordt afhankelijkheid altijd als een probleem ervaren in allianties. Omdat een virtuele joint venture een vergaande vorm van samenwerking is, weegt de afhankelijkheidsproblematiek daar nog zwaarder. Natuurlijk zijn er reële bezwaren aan afhankelijkheid. Beslissingsmacht wordt opgegeven en zaken buiten de eigen controle hebben effect op de prestaties. Toch lijkt er ook een grote emotionele component te zijn verbonden met het feit dat de eigen onderneming op eens een stuk minder zelfstandig wordt wanneer in een vergaande vorm van samenwerking wordt gestapt. Gevoelens van verbondenheid met een onderneming, meestal een concurrentievoordeel, kunnen dan een rationele besluitvorming in de weg staan. De vraag of een bedrijf afhankelijk wil zijn en succesvol of onafhankelijk en gemarginaliseerd, wordt dan helaas voor het bedrijf verkeerd beantwoord.

5.2 De KLM-Northwest alliantie: strategie

Het belangrijkste voorbeeld in Nederland en wellicht zelfs wereldwijd van een succesvolle virtuele joint venture, is de samenwerking tussen KLM en zijn Amerikaanse partner Northwest Airlines. Buiten de hightech sectoren zijn er weinig bedrijfstakken zo alliantie-intensief als de luchtvaart. Er bestaan tientallen samenwerkingsverbanden van verschillende aard tussen luchtvaartmaatschappijen. Eén van de allianties die aan de basis lag van de toenemende partnering in de luchtvaart is het samenwerkingsverband van de Nederlandse luchtvaartmaatschappij KLM (onderdeel van AirFrance/KLM) en de Amerikaanse maatschappij Northwest Airlines (NWA). Deze samenwerking is tegelijk ook één van de meest vergaande allianties.

De achtergrond van de samenwerking ligt in het feit dat de luchtvaart om een aantal redenen onder druk staat. Als eerste speelt deregulering een rol. Deregulering vond eerst plaats in de Verenigde Staten (in de jaren zeventig), later in Europa (jaren negentig) en tenslotte tussen deze twee continenten (in de jaren negentig met een eerste Open Skies Agreement, waarbij beperkingen op vluchten tussen Nederland en de Verenigde Staten werden opgeheven). Er is een langetermijntrend waarbij overheden minder beperkingen opleggen aan maatschappijen om op bepaalde routes te vliegen en waarbij zij zich ook op andere vlakken gestaag terugtrekken uit de luchtvaart. Nationale sentimenten zijn nog wel sterk, maar zij nemen af, waardoor de bescherming van luchtvaartmaatschappijen als onderdeel van het kwartet vaderland, vlag, volkslied en vliegmaatschappij afneemt. Daarnaast is de concurrentie sterk. Ondanks de groei in het luchtverkeer is de concurrentie tussen maatschappijen hevig. De deregulering, maar ook de overcapaciteit in de sector, hebben de rivaliteit aangewakkerd, waardoor tarieven sterk zijn gedaald en luchtvaartmaatschappijen slechte financiële resultaten boeken.

De sector streeft daarom naar verhoging van de inkomsten en vergroting van de efficiëntie. Om de inkomsten te vergroten wordt onder meer getracht betere netwerken aan de klant aan te bieden, door naar meer bestemmingen te vliegen en betere aansluitingen te leveren bij overstappen. Allianties worden ingezet om deze doelstelling te realiseren. Door samenwerking met andere maatschappijen is het ook mogelijk kosten te verlagen. Vluchten kunnen bijvoorbeeld gezamenlijk onder dezelfde vluchtcode worden uitgevoerd, het zogenaamde codesharing. Zo vliegen KLM en Northwest gezamenlijk op de transatlantische route, waarbij passagiers van beide maatschappijen in het toestel van één van de maatschappijen worden vervoerd. Het voornaamste doel is echter vergroting van de inkomsten. Dit is ook eenvoudiger te realiseren dan kostenbesparing.

Allianties maken het mogelijk meer bestemmingen aan te bieden door koppeling van routenetwerken. KLM kan door de alliantie ook de bestemmingen van Northwest in Amerika aanbieden als eindbestemming. Daar zitten veel steden tussen waar KLM niet zelf op vliegt, zodat het totaal aantal verbindingen tussen steden ('city pairs') dat KLM kan aanbieden veel groter is dan zonder de alliantie. Dit gaat volgens het 'hub and spoke'-systeem, waarbij passagiers op de route over de Atlantische oceaan worden gevlogen tussen grote luchthavens (bijvoorbeeld Schiphol en Detroit, de 'hubs') en daar overstappen naar hun eindbestemming (de 'spokes') en omgekeerd. KLM en Northwest voeren de transatlantische vluchten samen uit. Vanaf de hubs van NWA (Detroit en Minneapolis) worden passagiers verder vervoerd door NWA. In de omgekeerde richting vliegt KLM passagiers verder vanaf Schiphol, naar bestemmingen waar NWA niet zelf op vliegt. De maatschappijen leveren dus passagiers aan voor elkaars routenetwerk. Door afstemming van aankomst- en vertrektijden wordt op deze manier geprobeerd zoveel mogelijk verbindingen aan te bieden aan de klant.

De KLM-NWA relatie gaat daarbij heel ver, zoals hieronder verder zal worden beschreven. Ook andere maatschappijen hebben echter de voordelen van samenwerking ontdekt. Daarbij zijn er niet alleen bilaterale allianties ontstaan, maar hebben zich drie alliantiegroepen gevormd die met elkaar concurreren: de Star Alliance, Oneworld alliance en Skyteam (zie tabel 5.1). Behalve het aanbieden van meer verbindingen wordt in deze allianties ook nog op andere vlakken samengewerkt. Zo zijn de frequent flier programma's uitwisselbaar, zodat het voor een passagier niet uitmaakt met welke maatschappij binnen een alliantie hij vliegt: hij krijgt altijd zijn punten. Ook wordt er samengewerkt rondom reclame en promotie en het delen van lounges op de luchthavens.

Tabel 5.1: De drie grootste luchtvaartallianties

	Skyteam (zomer 2006)	Star Alliance (april 2006)	Oneworld (oktober 2005)
Leden	AirFrance/KLM, Northwest, Continental, Delta, Korean, AeroMexico, CSA, Alitalia, Aeroflot	Lufthansa, Singapore, United, Varig, TAP, Air New Zealand, All Nippon, LOT, US Airways, SAS, Thai, British Midland, Austrian, Thai, Air Canada, Asiana	British Airways, American, Iberia, Cathay, Qantas, LAN, Aer Lingus, Finnair
Aantal bestemmingen	728	842	599
Passagiers per jaar	373 miljoen	425 miljoen	243 miljoen

Bron: *Websites van de allianties*

In het algemeen wordt er gekozen voor samenwerking en niet voor fusie omdat fusie in veel gevallen onmogelijk is. De meeste landen verbieden nog altijd dat een buitenlandse luchtvaartmaatschappij de eigen nationale trots overneemt. Dit kan wel binnen Europa waar overnames worden toegestaan na toetsing door de mededingingsautoriteiten. Daarnaast zijn de luchtverdragen met landen buiten de EU nog grotendeels bilateraal al gaat dat tussen de Europese Unie en derde landen veranderen in de toekomst, als de EU voor al haar leden de verdragen gaat beheren. Bilaterale verdragen bemoeilijken fusies omdat een maatschappij in land A die door een maatschappij in land B wordt overgenomen vervolgens gezien wordt als een maatschappij uit land B en daardoor geen gebruik meer mag maken van de luchtvaartverdragen die land A heeft gesloten. De maatschappij uit land A verliest dan een deel van zijn markt. Tenslotte is fusie ook niet altijd nodig: zeker op de transatlantische route zijn de voordelen van een fusie ook te realiseren door samenwerking.

Samenwerking heeft ook een effect op de concurrentie in de luchtvaart. Op het eerste gezicht neemt de concurrentie af. Dat is ook terecht, want het verminderen van overcapaciteit is een reden voor alliantievorming. De concurrentie komt echter terug op een hoger niveau: zij vindt nu niet meer plaats tussen luchtvaartmaatschappijen onderling, maar tussen groepen van luchtvaartmaatschappijen. Er ontstaat group based competition[2].

5.3 De geschiedenis van KLM-Northwest

De ratio van samenwerking in de luchtvaart ligt dus voornamelijk in het verhogen van de inkomsten door het aanbieden van meer bestemmingen en daarnaast in kostenbesparing. De alliantie die als eerste dit concept in de praktijk bracht was die tussen KLM en Northwest. Deze samenwerking wordt gezien als één van de succesvolste in de luchtvaart. Ook loopt de relatie al geruime tijd: de eerste samenwerking dateert uit 1989. Mede door de turbulente ontwikkelingen van de luchtvaartsector heeft de alliantie de nodige wijzigingen ondergaan. Figuur 5.1 geeft de belangrijkste gebeurtenissen in de relatie tussen de twee partijen weer.

Figuur 5.1: Tijdlijn van de KLM-Northwest alliantie

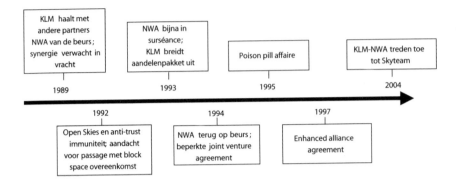

In 1989 is KLM één van de investeerders die NWA van de beurs haalt. Met een aandeel van 20% participeert KLM in een leveraged buy out van het bedrijf en krijgt KLM een zetel in de board. Rond die tijd was KLM al op zoek geweest naar een partner in Amerika en had zij al een aantal mogelijke partners bekeken. De mogelijkheid te participeren in de buy out paste dus in de KLM strategie. Destijds werd echter vooral gedacht aan mogelijkheden om synergie te creëren in het vrachtvervoer en niet in het passagiersvervoer, waar later juist de grote successen werden behaald.

In 1992 sluiten de Amerikaanse en Nederlandse overheden een Open Skies verdrag. Dit verdrag verruimt de mogelijkheden van Nederlandse luchtvaart-maatschappijen om naar bestemmingen in Amerika te vliegen en omgekeerd wordt Schiphol veel meer opengesteld voor Amerikaanse maatschappijen. Dit verdrag maakt het mogelijk om veel meer van samenwerking te profiteren dan tot dan toe het geval was. Wanneer daarna de Amerikaanse overheid anti-trust immuniteit verleent aan de alliantie tussen KLM en NWA staat niets de partijen in de weg hun samenwerking verder te intensiveren. Samenwerking vindt plaats op commercieel en operationeel gebied, in het bijzonder op vluchten tussen Detroit en Amsterdam. Vrachtvervoer blijkt minder synergie op te leveren dan verwacht omdat beide maatschappijen daarvoor niet op voldoende complemen-taire routes vliegen. De aandacht verschuift dan ook naar passagiersvervoer. Eerst wordt er een block space-overeenkomst gesloten, waarbij een blok stoelen in toestellen van de partner wordt gekocht, die vervolgens voor eigen rekening worden doorverkocht. Later volgen eigen KLM-vluchten op Detroit, die begin-nen invulling te geven aan het hub and spoke systeem.

In 1993 koerst NWA aan op surséance van betaling, vanwege het inzakken van de markt als gevolg van de Golfoorlog. Op het laatste moment slaagt NWA erin om een bankroet te voorkomen door loonoffers van het personeel. KLM steunt NWA ook. Door een kapitaalsinjectie stijgt het belang van KLM naar 25%. Dit is het maximum aandeel dat niet-Amerikaanse luchtvaartmaatschappijen volgens de Amerikaanse wet mogen bezitten wanneer zij deelnemen in een Amerikaanse maatschappij.

In 1994 keert NWA terug op de beurs. KLM en NWA sluiten een overeenkomst die binnen de alliantie bekend staat als de beperkte joint venture agreement. De bestuursstructuur van deze alliantie onderging in de loop van de tijd een aantal wijzigingen (zie figuur 5.2). In het kader van de alliantie werd allereerst een Alliance Committee opgericht waarin bestuurders van de twee partijen zitting hadden. Op een later tijdstip werden daar een Network Group en een Passenger Group aan toegevoegd. De Network Group had tot taak te bekijken welke bestemmingen met welke toestellen werden gevlogen om de inzet van toestellen te optimaliseren. Het heeft bijvoorbeeld weinig zin om met een grote Boeing 747 te vliegen wanneer de helft van de stoelen leeg is. Het is dan goedkoper om een kleiner toestel in te zetten. Omdat gebruik kon worden gemaakt van zowel de Northwest-vloot als de KLM-vloot werd het makkelijker het juiste toestel op de juiste route in te zetten. De Passenger Group richtte zich onder meer op marketing en verkoop. Later werden de Network Group en de Passenger Group samengevoegd in de Joint Venture Operating Committee (JVOC). De JVOC bestuurde vanaf dat tijdstip de alliantie.

Figuur 5.2: Ontwikkelingen in de alliantiestructuur van de KLM-NWA alliantie

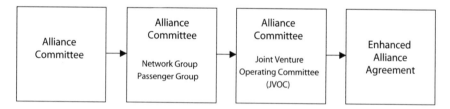

De scope van de samenwerking was helder afgebakend: het ging alleen om het vervoer tussen de USA en Europa (via Amsterdam). Er was wel samenwerking op andere gebieden, bijvoorbeeld in Azië waar marketing en het exploiteren van gezamenlijke lounges op de samenwerkingsagenda stonden. Ook de koppeling van de frequent flier programma's gold voor alle vluchten. De uitvoering van gezamenlijke vluchten vond echter alleen op de route USA-Amsterdam plaats.

De verhouding tussen de partijen raakt in 1995 verstoord wanneer de board van NWA besluit een beschermingsconstructie in het leven te roepen om overname te voorkomen, door middel van een zogenaamde poison pill, die als effect heeft dat een overnemende partij met grote kosten wordt opgezadeld. KLM beschouwt dit als een actie die tegen haar gericht is en stapt naar de rechter om de beschermingsconstructie aan te vechten. De onenigheid op board niveau loopt hoog op en de Alliance Committee komt niet meer bij een. Op het operationele niveau had dit echter geen effect. De Joint Venture Operating Committee bleef doorwerken en het succes in de business nam alleen maar toe.

Het was wel duidelijk dat deze situatie niet kon blijven bestaan. Hoewel het succes in de business groot was, zou het op langere termijn tot een onhoud-bare situatie kunnen leiden wanneer op board niveau de contacten niet werden hersteld. Nadat in 1996 topman Bouw was opgevolgd door Van Wijk wordt de samenwerking daarom opnieuw onder de loep genomen. KLM maakt duidelijk dat het de samenwerking niet op het spel wil zetten, maar wil in eerste instantie de rechtszaak niet stopzetten. De reden dat KLM zo hecht aan de control die het aandeel van 25% in NWA levert, is dat KLM zeker wilde zijn van een langeter-mijnsamenwerking. Zonder de aandelen, zou NWA makkelijker naar een andere partner kunnen uitwijken. Wanneer KLM haar zeggenschap via de aandelen zou opgeven zou er dus tenminste een langetermijnovereenkomst voor in de plaats moeten komen. En die komt er ook in 1997.

5.4 Besturing door de Enhanced Alliance Agreement

In 1997 bereiken de twee maatschappijen een nieuw akkoord dat bekend staat als de Enhanced Alliance Agreement. Hoofdpunten van de overeenkomst zijn:
- uitbreiding van het werkgebied van de alliantie. De hele Noord-Atlantische route wordt in de samenwerking ondergebracht. Naast Mexico en Canada wordt ook nog India betrokken in de alliantie.
- gezamenlijke marketing en productontwikkeling. KLM sluit haar verkooporganisaties in de USA, Canada en Mexico. NWA sluit haar verkooporganisatie in Europa, het Midden-Oosten en Afrika. In de genoemde gebieden gaan de organisaties elkaars tickets verkopen.
- een gefaseerde verkoop door KLM van haar gehele belang in NWA aan de NWA Corporation.
- beide maatschappijen stellen elkaar een commissariszetel ter beschikking. Ook zonder een aandelenverhouding hebben de partners dus op het hoogste niveau een vertegenwoordiging in elkaars bestuursorganen.
- een jaarlijkse settlement van baten en kosten van de alliantie op basis van een 50/50 principe. De Trans-Atlantische route wordt als het ware als een apart bedrijf gezien waarin elk van de partijen voor de helft deelneemt, maar zonder dat er daadwerkelijk een nieuw bedrijf voor wordt opgericht.
- een doorlopend contract met een minimale looptijd van tien jaar. Na die tien jaar lopen de afspraken door, maar kan de alliantie na dit moment worden opgezegd met inachtneming van een opzegtermijn van drie jaar. De lange looptijd van het contract komt tegemoet aan KLM's behoefte aan een lang-durige relatie en maakt het ook mogelijk meer investeringen in de alliantie te doen, omdat die over een langere periode zijn terug te verdienen.

Deze overeenkomst betekent dus een uitbreiding van de alliantie. Na de onenigheid in de voorgaande jaren lijkt het vreemd dat er een grote intensivering van de samenwerking plaatsvindt. In de werkelijkheid was de Enhanced Alliance Agreement echter voor een deel ook een formele bevestiging van een situatie die tussen 1994 en 1997 al in de praktijk was ontstaan. De strubbelingen op board niveau hebben niet de operationele samenwerking en de uitbreiding van die samenwerking in de weg gestaan. In de praktijk werd al intensiever samengewerkt dan formeel was vastgelegd.

De Enhanced Alliance Agreement vroeg ook om een nieuwe bestuursstructuur. De uitgebreide werkzaamheden van de alliantie konden niet meer met alleen een Joint Venture Operating Committee worden aangestuurd. Figuur 5.3 geeft de bestuursstructuur van de alliantie weer. Net als bij de Senseo-alliantie is hier een spiegelstructuur ingevoerd. De cross-board posities waarbij de CEO's van de twee maatschappijen bij elkaar commissariaten vervullen, zijn het eerste element in de bestuursstructuur. Deze posities geven het belang aan dat de partijen aan de relatie hechten en de partners leren elkaar daardoor beter kennen.

Figuur 5.3: Bestuursstructuur van de KLM-Northwest alliantie

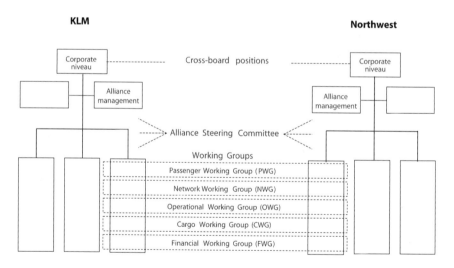

Verder kent de alliantie geen sterke hiërarchie. Er is een Alliance Steering Committee waarin de Executive Vice Presidents en Senior Vice Presidents zitting hebben die zich bezighouden met enkele functionele gebieden die voor de alliantie van belang zijn. Dit zijn bijvoorbeeld sales (voor de verkoop en marketing), network (welke routes worden met welke toestellen gevlogen) en finance (voor de financiële implicaties van de samenwerking). De Alliance Steering Committee beslist over het alliantiebeleid en heeft vergaande bevoegdheden. Komt de Committee niet tot een oplossing voor een probleem, dan kan dit aan de CEO's worden voorgelegd. Ook grote beslissingen worden aan de CEO's voorgelegd. Beide zaken zijn echter nauwelijks voorgekomen. Vier keer per jaar wordt er vergaderd door de Alliance Steering Committee; een vergadering die onder geen beding wordt afgezegd. Co-chairmen van de Committee zijn de Executive Vice Presidents van de twee partners die commerciële zaken in hun portefeuille hebben. Omdat de samenstelling van de Committee verandert door personele wijzigingen in de beide organisaties en omdat een goede relatie belangrijk is, wordt in de Committee ook aandacht besteed aan het creëren van goede persoonlijke verhoudingen. Elke vergadering gaat dan ook vergezeld van een informeel gedeelte.

Besluitvorming vindt plaats op basis van consensus. De consensus wordt gedreven door de 50/50 verdeling van capaciteit en zeggenschap in de virtuele joint venture. Dit ondanks het feit dat Northwest groter is dan KLM. Alle beslissingen worden hierdoor altijd gezamenlijk genomen en worden gedragen door beide ondernemingen. De resultaatsverwachtingen van de virtuele joint venture zijn de onderliggende basis om tot de juiste beslissingen te komen. In theorie heeft dus elke partner een vetorecht over deze beslissingen.

Onder de Alliance Steering Committee ressorteert een vijftal werkgroepen. De belangrijkste zijn de netwerk werkgroep, die beslissingen neemt over het te vliegen netwerk en de te gebruiken toestellen, en de passenger werkgroep, die zich bezighoudt met verkoop, marketing en revenue management (capaciteits- en prijsbeheer). De operational werkgroep bekijkt zaken als dienstverlening op de grond, bagage en catering. Tenslotte zijn er nog werkgroepen die zich bezig houden met vracht (cargo werkgroep) en natuurlijk de financiën (financial werkgroep). Binnen de werkgroepen is de communicatie zeer frequent. Er gaat geen dag voorbij dat er niet ergens op managementniveau tussen de twee organisaties wordt afgestemd. De alliantie is ook nooit af. Er zijn steeds weer nieuwe markontwikkelingen waarbij het belangrijk is dat partijen afstemmen en nieuw beleid ontwikkelen.

De werkgroepen staan nadrukkelijk niet los van de twee organisaties. Leden van de werkgroepen zitten in het lijnmanagement van KLM en NWA. Zij implementeren dus zelf het beleid dat zij in de werkgroepen gezamenlijk uitzetten. Er zijn dus zeer korte lijnen tussen de alliantie en de partners: iedereen werkt zowel voor de KLM of Northwest als voor de alliantie. Het personeel wordt ook afgerekend op de prestaties van de alliantie en automatisch daarmee op de prestaties van de partners, omdat de belangen van alliantie en partners samenvallen. In taken, targets en bonussen is de alliantie namelijk verdisconteerd.

Een laatste element in het alliantiebestuur is de rol van de alliantiemanagement-afdelingen in de bedrijven. De afdelingen alliantiemanagement houden zicht op hoe de alliantie loopt, bemiddelen bij conflicten en managen de vergaderingen van de Alliance Steering Committee. Ook besteden zij aandacht aan de manier waarop de alliantie opereert binnen het grotere verband van de Skyteam alliantie, waar beide maatschappijen lid van zijn. De alliantie wordt echter duidelijk buiten de alliantieafdeling gemanaged, in de business. De alliantieafdeling faciliteert het proces, maar zit niet op de stoel van degenen die het in de praktijk moeten uitvoeren. Drie- tot vierwekelijks hebben de alliantieafdelingen van NWA en KLM met elkaar overleg.

De samenwerking is enorm gegroeid sinds de Enhanced Alliance Agreement van kracht werd. Deze groei kon geheel worden opgevangen binnen de geschetste structuur. Aanpassingen aan de bestuursstructuur zijn niet meer voorgekomen.

De financiële aansturing van de virtuele joint venture is, zoals gezegd, gericht op het optimaliseren van de business in die virtuele joint venture en gaat naadloos over in de financiële aansturing van KLM en Northwest. Alle kosten en baten die de twee partners maken op de Noord-Atlantische route worden transparant gemaakt. Voor de kostenkant gaat het dan bijvoorbeeld om brandstof, afschrijving en inzet van bemanning. Voor al deze elementen is uitonderhandeld welke wel en welke niet tot de samenwerking worden gerekend. Voor de opbrengsten geldt hetzelfde. Daarbij is ook een incentive ingebouwd om vluchten van de partner te verkopen die verder gaan dan de Noord-Atlantische route: wanneer KLM een ticket verkoopt voor een vlucht van Detroit naar Las Vegas, verdient KLM daar ook aan. Op deze manier wordt er 'color blind' verkocht: het maakt verkopers niet uit of ze een vlucht van KLM of van Northwest verkopen wat een enorme stimulans is voor de inkomsten. Hierbij wordt met open boeken gewerkt. Uiteindelijk worden alle kosten en opbrengsten bij elkaar opgeteld en wordt de winst 50/50 gedeeld. De virtuele joint venture had in 2004 een omzet van bijna $3 miljard en is altijd winstgevend geweest.

Het succes van de alliantie ontstaat ook doordat de samenwerking mensen motiveert. Het betekent een verbreding van het werkterrein, afwisselender werk en niet onbelangrijk voor sales: er kunnen meer bestemmingen worden verkocht. Ook is in de loop van de jaren het business model verbeterd. De klanten begrijpen het beter dan in het begin, de goede resultaten hebben de motivatie van het personeel nog verder verhoogd en de geleidelijke terugtrekking van de overheidsbemoeienis met de luchtvaart opende nieuwe kansen voor de alliantie. Daarnaast hebben KLM en Northwest elkaar beter leren kennen en is het vertrouwen tussen de partijen toegenomen. Daardoor is de alliantie ook soepeler gaan functioneren. De opbrengsten daarvan liggen op verschillende vlakken. De uitwisseling van leerervaringen is er daar één van. Zo hebben beide partijen van elkaar geleerd bij het invoeren van e-business. Doordat lijnmanagers in de alliantie zitten, vindt dit soort kennisoverdracht automatisch plaats.

Dat partijen elkaar hebben leren kennen, blijkt ook uit het feit dat ze hebben leren omgaan met de verschillen tussen de partijen. Verschillen in aanpak en werkwijze bestaan op een aantal vlakken. De tijdsoriëntatie van NWA is korter dan die van KLM; NWA heeft een shareholderbenadering, terwijl KLM een stakeholderbenadering heeft; ideeën over klantgerichtheid verschillen. Het gezamenlijk managen van de alliantie heeft geleid tot wederzijds begrip. De partners hebben leren omgaan met de verschillen, zodat ze elkaar steeds beter zijn gaan aanvullen.

De gekozen vorm van de virtuele joint venture werkt tot tevredenheid van de partijen. Er is niet voor gekozen om een reële joint venture op te zetten, waarbij een nieuwe rechtspersoon wordt gecreëerd. Drie hoofdredenen zijn aanwijsbaar voor deze keuze. Ten eerste is het onmogelijk de business in de joint venture te isoleren van de overige business. De alliantie heeft alleen betrekking op vluchten over de Atlantische oceaan. Een toestel vliegt echter ook naar Azië of Afrika. Het is daarom niet mogelijk een deel van de vloot af te zonderen in een joint venture. De toestellen zouden dan niet optimaal kunnen worden ingezet. Ten tweede bleek uit onderzoek naar de managementstructuur van een joint venture dat deze te complex zou worden. Vooral de relatie met de moederpartijen bleek moeilijk vorm te geven wanneer er een aparte joint venture zou zijn ingevoerd. Tenslotte was het ten tijde van het sluiten van de Enhanced Alliance Agreement de vraag of er steun en commitment van de rest van KLM zou zijn voor het apart zetten van een belangrijk deel van de business. De kracht van de huidige virtuele joint venture is dat het werk voor NWA is geïntegreerd in het werk van alle KLM'ers en omgekeerd. Bij een echte joint venture zou er een splitsing ontstaan tussen KLM, NWA en mensen in de joint venture. Het is een onmogelijke opgave om dan weer een incentive systeem te ontwikkelen dat zo goed werkt als het huidige systeem.

In de alliantie is de verwevenheid dus groot. De alliantie omvat 30% van de business van KLM. Een beëindiging van de alliantie is zeker nog mogelijk, maar het zou complex zijn om de bedrijven weer uit elkaar te halen. Bovendien kan het grote commerciële gevolgen hebben. De samenwerking is dan ook een integraal onderdeel van de strategie van KLM.

In 2004 traden KLM en Northwest toe tot de Skyteam-alliantie, waarin Air France waarmee KLM in 2003 is gefuseerd, een centrale rol vervult. Dit verhoogt de complexiteit: Air France heeft Delta Airlines als partner in Amerika en dat is een directe concurrent van NWA. In theorie zou er optimalisering kunnen plaatsvinden over al deze samenwerkingsverbanden heen. Nog afgezien van het feit dat de complexiteit daarvan nauwelijks is te overzien, hebben de Amerikaanse anti-trustautoriteiten verdere intensivering van de alliantie vooralsnog verboden. In maart 2003 werd door de anti-trustautoriteiten nog wel een lichte vorm van samenwerking toegestaan op de binnenlandse markt tussen Delta, NWA en een derde speler, Continental. In december 2005 kreeg NWA echter geen toestemming de internationale samenwerking met Delta en Air France verder te intensiveren. De toekomst van de alliantie staat daardoor echter niet op het spel. Er kan doorgewerkt worden met het huidige systeem. Mogelijke faillissementen en/of fusies van een aantal Amerikaanse maatschappijen, met name als gevolg van sterke lokale concurrentie, zouden de grote luchtvaartallianties nog wel een ander aanzien kunnen geven.

5.5 Control en trust in de KLM-NWA alliantie

In de alliantie tussen KLM en Northwest Airlines zijn momenteel zowel de control- als de trustelementen goed ingevuld (zie tabel 5.2). In het begin van de relatie leek er meer aandacht te zijn voor controlelementen en de stormachtige ontwikkeling van de relatie in de eerste jaren laat zien dat de alliantie niet over rozen ging. Bedrijfsmatig was de alliantie echter steeds een succes en de operationele relatie bleef sterk.

Belangrijke elementen uit de controlbenadering zijn de uitgebreide verrekening van kosten en baten en de gezamenlijke winst- en verliesrekening op de Noord-Atlantische route. De wederzijdse board seats en de hiërarchie in de alliantie (CEO's, ASC, Working Groups) dragen ook bij aan de control. Een ander belangrijk element is het feit dat de incentives voor het personeel in de alliantie geheel gelijk zijn getrokken, zodat 'color blind' tickets worden verkocht. Deze incentives hebben ook een effect op het vertrouwen in de relatie. Doordat de partners weten dat de incentives bij beide partijen goed zijn geregeld, neemt het vertrouwen in de samenwerking toe. Het gedrag van de partner wordt er immers voorspelbaar door. Tenslotte is de besluitvorming op basis van consensus een belangrijk element dat bijdraagt aan control.

Tabel 5.2: Control- en trustelementen in de huidige KLM-Northwest alliantie

Controlelementen	Trustelementen
Gedetailleerde verrekening	Informele bijeenkomsten ASC
Hiërarchie in alliantie	Wederzijds aanpassen
Board seats	Motivatie van mensen
Incentives	Flexibiliteit
Consensus	

Na de poison pill affaire is het onderlinge vertrouwen steeds toegenomen. Elementen uit de trust-benadering die daaraan bijdragen zijn de informele bijeenkomsten van de ASC en de wederzijdse aanpassing die plaatsvindt. Het feit dat de medewerkers zeer gemotiveerd zijn geworden naarmate de voordelen van de alliantie zichtbaar werden, is een ander element van de trust-benadering dat van belang is. De eigen motivatie zorgt ervoor dat personeel automatisch zowel het belang van de alliantie als van de partners dient.

Ook de flexibiliteit die de partijen hebben in de alliantie speelt een rol bij het toegenomen vertrouwen. Zo was na de aanslagen op het World Trade Center in New York op 11 september 2001, het routenetwerk van de alliantie binnen enkele weken aangepast aan de ingezakte vraag. Andere allianties deden daar maanden over. De reden dat de aanpassing zo snel verliep, ligt in het feit dat de alliantie de joint venture optimaliseert. Bij andere allianties optimaliseren de partners nog altijd het eigen routenetwerk en de eigen winst, waardoor zij minder snel geneigd zijn de vluchten op een bepaalde route op te geven ten gunste van hun partner. Doordat KLM en Northwest 50/50 delen op de Noord-Atlantische route is het voor hen minder belangrijk of KLM of Northwest een route opgeeft. De uiteindelijke baten en kosten blijven voor beide partijen immers gelijk.

In de structuur van de alliantie heeft zich ook de nodige dynamiek voorgedaan. De belangrijkste aanpassingen zijn geweest:
- de overgang van de block space agreement naar de beperkte joint venture, die samenging met het instellen van de Alliance Committee en weer later de Network en Passenger Groups;
- de samenvoeging van de Network en Passenger Groups in de Joint Venture Operating Committee;
- het beëindigen van overleg in de Alliance Committee naar aanleiding van de poison pill;
- de Enhanced Alliance Agreement met de Alliance Steering Committee, cross-board posities, verkoop van het aandelenbelang en afspraken over de virtuele joint venture.

Hoewel omgevingsfactoren van invloed waren op deze ontwikkeling, lijkt het toch vooral zo te zijn dat deze dynamiek wordt veroorzaakt door ontwikkelingen bij de partners zelf. Interessant is ook dat de Enhanced Alliance Agreement voor een belangrijk deel een formalisering is van een ontwikkeling die daarvoor al informeel had plaatsgevonden. De informele verandering ging dus vooraf aan de formele verandering. Waar op het niveau van de board de relatie minder was, was er op operationeel blijkbaar voldoende vertrouwen om steeds verder te gaan met de samenwerking, zelfs zonder dat dit contractueel was vastgelegd.

5.6　Wanneer is een virtuele joint venture de juiste vorm?

De virtuele joint venture komt weinig voor, maar is vanuit bestuursoptiek heel interessant. Een dergelijke vergaande vorm van integratie terwijl de partners tegelijkertijd geheel zelfstandig blijven, lijkt een organisatievorm die strijdig is met zichzelf. Het voorbeeld van KLM-Northwest laat echter de mogelijkheden van het model zien, mits het goed wordt vormgegeven.

De case maakt ook duidelijk onder welke omstandigheden de virtuele joint venture het best toepasbaar is. Ten eerste ligt het doel van de samenwerking in eerste instantie op het behalen van schaal- en scopevoordelen en optimaliseren van de benutting van capaciteit. Dit kan het beste worden bereikt wanneer twee bedrijven vergaand integreren. Ten einde de voordelen van samenwerking te bereiken, is de alliantie tot accountable entity gemaakt.

Het doel geeft al aan dat een tweede voorwaarde voor het gebruik van de virtuele joint venture is dat er langdurig moet worden samengewerkt. Schaal- en scope-voordelen en capaciteitsbenutting zijn immers geen eenmalige zaken, maar worden doorlopend gerealiseerd tijdens een samenwerking. Wanneer partijen uit elkaar gaan, verdwijnen de behaalde voordelen. Daarnaast zijn de kosten voor het opzetten van de samenwerking hoog, onder meer door de IT-investeringen die zijn gedaan, de investeringen die gedaan zijn om tot een afgestemd product te komen en de integratie van de verkoop. Deze kosten zijn het alleen waard om te worden gemaakt, wanneer zij ook kunnen worden terugverdiend.

Een derde element is dat de virtuele joint venture een hele business omvat, inclusief verkoop, capaciteit en vliegroutes. Er moet dus sprake zijn van een brede scope aan activiteiten wil de virtuele joint venture nuttig zijn. Overigens is er tegelijkertijd een nauwe afbakening aanwijsbaar: de samenwerking richt zich alleen op de Noord-Atlantische route.

Dan blijft de vraag over waarom er niet gekozen wordt voor een gewone joint venture. De belangrijkste reden hiervoor is dat de business van de alliantie niet is af te zonderen van de overige business van de partners. Wanneer dat wel mogelijk was geweest, zou waarschijnlijk voor een joint venture zijn gekozen. Het is ook niet nuttig om de alliantie als een aparte onderneming op te zetten: de grootste voordelen vallen juist te behalen door de alliantie te combineren met de operaties van de KLM en Northwest.

Samenvattend laat de KLM-NWA alliantie een unieke bestuursstructuur zien. De vergaande integratie en gelijkgerichte incentives zijn de meest in het oog springende kenmerken van de alliantie. Ook de gedetailleerde afspraken vallen op. Naarmate de alliantie zich ontwikkelde, ontstond echter ook meer en meer een spirit van gezamenlijkheid waardoor de samenwerking nog verder opbloeide.

Noten

1   Kajüter en Kulmala, 2005
2   Gomes-Casseres, 1994

6
Keerpunt, Nationale-Nederlanden en Fortis: verzekerd van werk

In dit hoofdstuk wordt de joint venture behandeld. Na een overzicht van de belangrijkste bestuursvragen rondom joint ventures wordt de Keerpunt case besproken. Keerpunt is een joint venture van Nationale-Nederlanden en Fortis Verzekeringen Nederland. Naar aanleiding van de case wordt aangegeven hoe een normale vennootschap verschilt van een joint venture en wordt aangegeven onder welke omstandigheden de joint venture de optimale structuur is.

6.1 Joint ventures

Joint ventures ontstaan wanneer twee ondernemingen gezamenlijk een nieuwe onderneming opzetten, waarbij zij beiden participeren in het kapitaal van die onderneming[1]. Joint ventures komen regelmatig voor, maar vormen toch een minderheid van het totale aantal allianties. Dat betekent echter niet dat zij minder belangrijk zijn. Het feit dat er een aandelenverhouding tussen partijen ontstaat, vormt al een indicatie dat joint ventures langdurige verbintenissen tussen organisaties zijn.

Joint ventures kunnen alle doelstellingen nastreven die in hoofdstuk 1 zijn besproken. In de praktijk worden joint ventures echter eerder gebruikt voor het nastreven van schaalvoordelen (of rationalisering), delen van risico's van projecten en het verkrijgen van markttoegang in het buitenland dan voor R&D en innovatie. Het belangrijkste voordeel van joint ventures boven contractuele allianties is dat zij beter in staat zijn schaalvoordelen te creëren. Doordat de partners hun activiteiten integreren in één bedrijf zijn de mogelijkheden om te optimaliseren groot.

Ten aanzien van het besturen van joint ventures is de aandelenverhouding het meest zichtbare element. In bilaterale joint ventures zijn er twee mogelijkheden. De aandelenverhouding kan 50-50 zijn of één van de partners heeft een meerderheid van de aandelen. Een veel bediscussieerd thema rondom joint ventures

---

[1] Ook meer dan twee ondernemingen kunnen een joint venture opzetten. Dit geval wordt besproken in hoofdstuk 7.

is de juiste verdeling van aandelenverhoudingen. Onderzoek[1] toont aan dat in 50-50 joint ventures beide partners doorgaans een gelijk resultaat boeken. Bij een ongelijke eigendomsverhouding, hangt het af van de mate van overeenstemming van de doelen en van vertrouwen of beide partners een gelijk resultaat weten te realiseren. Wanneer beide partners precies hetzelfde willen bereiken met de alliantie en elkaar vertrouwen is ook de positie van een minderheidsaandeelhouder aantrekkelijk. De partner zal dan immers vanzelf besluiten nemen die ook voor de minderheidsaandeelhouder positief uitwerken. Pas wanneer de doelen niet of niet geheel overeenstemmen en wanneer er wantrouwen is, is het voor de besturing van belang een meerderheid te hebben.

Het belangrijkste nadeel van een 50-50 structuur is dat besluitvorming kan vastlopen. Het voordeel is echter dat er een gelijk commitment is, zodat partners beiden gemotiveerd zijn om aan de joint venture bij te dragen. Bij ongelijke aandelenverhoudingen zal de meerderheidsaandeelhouder altijd meer bijdragen dan de minderheidsaandeelhouders. Dit geldt niet alleen voor de investering in aandelenkapitaal, maar ook voor de verdere inbreng in management. Het gevaar voor de minderheidsaandeelhouder is dan ook dat hij minder control heeft over de alliantie. De meerderheidsaandeelhouder kan de alliantie juist meer sturen en heeft ruimte om zich opportunistisch te gedragen. Tabel 6.1 vat deze discussie samen.

Tabel 6.1: Eigendomsstructuren van joint ventures

	Toepasbaar wanneer:	Voordelen	Nadelen
Geen 50-50 eigendom	• doelen van de partners hetzelfde zijn • er sprake is van vertrouwen	Voor minderheidsaandeelhouder: • met geringe investering toch doel bereiken • partner zal zich verantwoordelijk voelen voor het management Voor meerderheidsaandeelhouder: • meer control • mogelijkheid alliantie meer in de eigen richting te sturen	Voor minderheidsaandeelhouder: • minder control • partner kan opportunistisch handelen Voor meerderheidsaandeelhouder: • grotere investering nodig • verantwoordelijk voor het management
Wel 50-50 eigendom	• doelen van de partners verschillen • of er is volstrekte gelijkheid	• gelijk commitment • control op partner	• besluitvorming kan vastlopen

6.2   Besturing van joint ventures: meer dan een aandelenverhouding

Het is echter belangrijk de discussie over alliantiebestuur niet te verengen tot een debat over de vraag of er een contractuele alliantie moet worden gesloten of dat er ook een aandeelhoudersrelatie moet ontstaan. Er spelen veel andere besturingsmechanismen een rol buiten de aandelenverhouding om. Het is zeker niet zo dat wanneer partner A een meerderheid van de aandelen heeft, dit automatisch betekent dat A het meest aan een joint venture verdient. Partner B kan namelijk een heel andere doelstelling hebben, bijvoorbeeld te leren. Wanneer A kennis in de joint venture inbrengt en B hiervan leert en de verworven kennis in de eigen organisatie gebruikt, kan B uiteindelijk veel meer aan de joint venture verdienen dan A. In de jaren tachtig werd hier al voor gewaarschuwd in Japans-Amerikaanse joint ventures[2], waarbij de Japanners gretig leerden wat de Amerikanen doceerden. Momenteel speelt deze problematiek ook in China en India. Een al te eenzijdige focus op het krijgen van 51% van de aandelen is dan ook niet verstandig. Een meerderheid betekent niet dat alles onder controle is. Een manager van een Amerikaans chemiebedrijf zei hierover zelfs: 'Wanneer een partner graag 51% van de aandelen wil, zet ik de beste onderhandelaars in. Voor die 1% zijn bedrijven vaak bereid erg veel op te geven. En de echte waarde ligt zelden in dat ene procentje'.

Ook kan de positie van een minderheidsaandeelhouder worden beschermd door aanvullende afspraken. Het is bijvoorbeeld mogelijk een minderheidsaandeelhouder een vetorecht te geven op bepaalde besluiten of een recht om tegen de wil van de meerderheidsaandeelhouder en besluit door te zetten. Hetzelfde kan gebeuren met de winstverdeling. Er zijn bijvoorbeeld verschillende constructies denkbaar om één van de partners voorrang te geven bij dividenduitkering[3].

Het besturen van een joint venture gaat dus verder dan het bepalen van de aandeelhoudersrelatie. Ook andere elementen van bestuur spelen een rol. De mate van onafhankelijkheid is bijvoorbeeld van belang. De partners kunnen zich intensief met de joint venture bemoeien of juist op grotere afstand blijven. Het meest effectief lijkt een middenweg te zijn, waarbij de joint venture meedraait in de rapportageprocessen van een van de partners of een goed ontwikkeld eigen governance systeem heeft[4]. Bij het vaststellen van de verantwoordelijkheden van het management van de joint venture is het mogelijk een onderscheid te maken tussen die zaken waar een sterke input van de partners nodig is en zaken waarover het management van de joint venture meer discretie heeft. Op deze manier kan voorkomen worden dat de partners te veel of te weinig met de joint venture communiceren. De manager van de joint venture kan ook de strategiesessies bijwonen van de business unit van de partners die voor hem relevant zijn, om op die manier in contact te blijven met de business van de aandeelhouders.

Bij joint ventures is een correcte samenstelling van de Raad van Commissarissen van belang. Buitenstaanders kunnen in de Raad van Commissarissen worden opgenomen. Het voordeel hiervan is dat zij meestal objectief zijn en het belang van de joint venture centraal stellen in plaats van het belang van de partners. Bij grote joint ventures is het aanbevelenswaardig een Raad van Commissarissen samen te stellen waarin mensen met verschillende aandachtsgebieden zijn vertegenwoordigd. Bedrijven hebben vaak de neiging om een kleinere Raad van Commissarissen samen te stellen dan nodig is. In grote joint ventures is het echter geen overbodige luxe om ook een audit commissie te hebben. Tenslotte dienen de commissarissen voldoende senioriteit te hebben om veranderingen te initiëren en desnoods te besluiten de samenwerking te beëindigen.

Een ander specifiek probleem van joint ventures is transfer pricing. Wanneer de aandeelhouders ook goederen leveren aan de joint venture, is de prijs van die goederen een belangrijk element dat de inkomsten bepaalt die de partners uit de joint venture krijgen. Het is meestal niet zo dat een partner die 50% van de aandelen heeft ook 50% van de winst krijgt die de joint venture genereert. Wanneer de joint venture ook producten afneemt van een partner, is dat voor die partner ook een potentiële winstbron terwijl het voor de joint venture een kostenpost is. Een ander voorbeeld van de manier waarop een 50-50 verhouding niet hoeft te leiden tot gelijke opbrengsten voor de partners wordt hieronder besproken in de Keerpunt case.

Een ander vraagstuk rondom joint ventures is de exit. Bij verkoop van de aandelen aan één van de partners of aan een derde is de prijs van de aandelen een kernpunt van discussie. In de praktijk zijn enkele modellen ontstaan om daarmee om te gaan, vaak getooid met prozaïsche namen (zie kader 6.1). Deze zijn erop gericht een redelijke prijs voor de aandelen te krijgen en de positie van minderheidsaandeelhouders te beschermen.

Kader 6.1: Exitclausules rondom waardebepaling van een joint venture[5]

Texas shoot out: de partijen in een joint venture brengen elk een bod uit en de hoogste bieder wint.

Russische roulette: partij A heeft het recht een bod uit te brengen op de aandelen van partij B, maar zodra A het bod heeft uitgebracht, heeft B het recht om de aandelen van A te kopen tegen de door A genoemde prijs. Dit mechanisme dwingt de partij die het eerst een bod uitbrengt om een goede prijs te bieden.

Drag along (meesleepregeling): als een meerderheidsaandeelhouder wenst te verkopen aan een derde partij, is de minderheidsaandeelhouder verplicht zijn aandelen ook tegen dezelfde prijs aan die derde partij te verkopen.

Tag along (meeliftregeling): afspraak die stelt dat een derde ook op de aandelen van een minderheidsaandeelhouder moet bieden, tegen dezelfde condities, wanneer hij die van de meerderheidsaandeelhouder wenst over te nemen.

Lock-up: de verplichting van een aandeelhouder zijn aandelen niet te verkopen gedurende een bepaalde periode.

Extern advies: een derde onafhankelijke partij, bijvoorbeeld een specialist in het waarderen van bedrijven, bepaalt een prijs voor de aandelen.

6.3 Keerpunt: een joint venture van Nationale-Nederlanden en Fortis Verzekeringen Nederland

De financiële sector is in vergelijking met andere sectoren wat later begonnen met alliantievorming. De laatste jaren heeft zich echter een sterke stijging in het aantal aangekondigde samenwerkingsverbanden voorgedaan (zie figuur 6.1). Deze stijging heeft verschillende achtergronden, waaronder internationalisering, vergroting van efficiency en het uitbreiden van dienstverlening aan de klant.

Dit laatste speelt een rol bij een joint venture van Nationale-Nederlanden en Fortis Verzekeringen Nederland: Keerpunt. Keerpunt is een re-integratiebedrijf dat inspeelt op de ingrijpende vernieuwingen in de sociale wetgeving die de afgelopen jaren in Nederland zijn doorgevoerd. De wetgeving is erop gericht zieke werknemers weer sneller in het arbeidsproces op te nemen en zo te voorkomen dat mensen aanspraak gaan maken op uitkeringen op grond van arbeidsongeschiktheid. Bedrijven zijn verplicht bij te dragen aan een snelle re-integratie van hun zieke werknemers in het arbeidsproces. Daartoe kunnen ze gebruik maken van re-integratiediensten. Veel bedrijven zijn verzekerd tegen ziekte van hun personeel en vragen hun verzekeraar ook re-integratiediensten aan te bieden.

Figuur 6.1:   Aankondigingen van allianties door Nederlandse financiële instellingen 1996-2005[6]

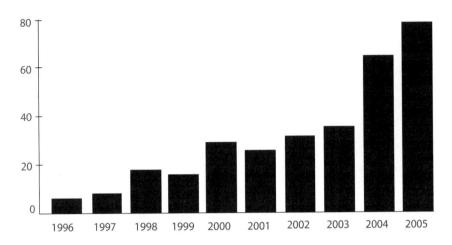

Keerpunt is een organisatie die zulke diensten aanbiedt. Verzekerden van Nationale-Nederlanden en Fortis Verzekeringen Nederland kunnen bij het afsluiten van een verzekering tegen ziekte van werknemers in de polis ook afspreken gebruik te zullen maken van de diensten van Keerpunt. Wanneer zich een ziektegeval voordoet, dan vergoedt de verzekeraar de kosten van de dienstverlening door Keerpunt. Diensten die Keerpunt verleent zijn ondermeer: verzuimbegeleiding en re-integratie, casemanagement, preventie, bemiddeling naar ander werk en arbeidsdeskundig onderzoek. Blijkt dat Keerpunt ook andere partijen in moet zetten om re-integratie te bevorderen, bijvoorbeeld een psycholoog, dan wordt die dienstverlening voor minstens 50% vergoed door de verzekeraar. Keerpunt richt zich bij het aanbieden van deze diensten vooral op het segment van het MKB.

Het voordeel van Keerpunt voor Fortis Verzekeringen Nederland en Nationale-Nederlanden is dat een snellere re-integratie een verlaging van hun schadelast betekent. Schadelast betreft hier de uitkering die de verzekeraars moeten doen aan een bedrijf wanneer een bij hen verzekerde werknemer ziek wordt. Hoe sneller de werknemer weer aan de slag is, hoe minder de verzekeraars hoeven uit te keren.

Keerpunt is hier heel succesvol in. Onafhankelijk onderzoek liet zien dat zieke werknemers die door Keerpunt werden begeleid, 30% sneller weer aan het werk waren en dat tegen lagere kosten. Eén euro investeren in Keerpunt blijkt dan in totaal drie euro besparing op te leveren. De werkwijze van Keerpunt, waarbij een uitgebreide intake met werkgever en de zieke werknemer centraal staat, is één van de oorzaken van dit voordeel.

Regelgeving heeft een belangrijke impact op Keerpunt. De Wet Poortwachter, de WIA die de WAO vervangt en de vrije keuze voor een Arbodienst zijn enkele vernieuwingen in de regelgeving die het werkterrein van Keerpunt vergroten.

Dit blijkt ook uit de geschiedenis van Keerpunt. In 1998 werd de voorloper van Keerpunt op gezet als een Stichting door Nationale-Nederlanden en SFB (nu Cordares). SFB wilde zich daarmee voorbereiden op privatisering. Door nieuwe diensten op te zetten, hoopte het een goede marktpositie in te nemen. Voor Nationale-Nederlanden waren er drie redenen om in de Stichting te participeren. Ten eerste mocht van de privacywetgeving de ziekengeldverzekeraar geen informatie hebben over het ziektebeeld van de werknemer. In theorie was het wel mogelijk een aparte unit op te zetten om dit probleem te omzeilen, maar die route werd te gecompliceerd en te duur gevonden. Ten tweede ontbrak het Nationale-Nederlanden aan specifieke deskundigheid op het gebied van case-management. SFB had die wel. SFB was al door Nationale-Nederlanden uitgekozen als samenwerkingspartner anticiperend op verdere privatisering van de sociale verzekeringen. Een derde reden voor samenwerking was dat ziekteverzuim nog al wat pieken en dalen kent over het jaar heen, afhankelijk van de sector. Door samenwerking met SFB kon een betere spreiding worden bereikt, waardoor leegloop bij het re-integratiebedrijf zou worden vermeden.

Het bleek echter dat verdere privatisering van de sociale verzekeringen niet zou gaan plaatsvinden. Keerpunt had voor SFB dan ook geen nut meer. In 2001 werd SFB als partner van Keerpunt vervangen door Fortis Verzekeringen Nederland. Deze wisseling van partner kwam tot stand door een informele relatie: een commissaris van Nationale-Nederlanden kende een senior manager bij Fortis Verzekeringen Nederland. Fortis Verzekeringen Nederland bracht zijn kennis over re-integratie in Keerpunt in. Rondom die tijd werd de Stichting ook omgezet in een BV met elk van de aandeelhouders als 50% eigenaar.

Keerpunt heeft een sterke groei laten zien. In 2005 werkten er 85 mensen. Het is niet de bedoeling een compleet re-integratiebedrijf neer te zetten. Keerpunt werkt dan ook veel met ingehuurde dienstverleners. Het voordeel hiervan is dat met een beperkte vaste staf toch een compleet dienstenpakket kan worden aangeboden, zonder dat er een grote organisatie ontstaat.

Zoals bij alle joint ventures ziet de structuur er op het eerste gezicht eenvoudig uit (zie figuur 6.2). Naast de indirecte relatie die de twee partners in Keerpunt hebben is er ook een aandeelhoudersovereenkomst, waarin enkele hoofdlijnen van de samenwerking zijn geregeld, zoals de samenstelling van de Raad van Commissarissen. De Raad van Commissarissen is driehoofdig en bestaat uit een vertegenwoordiger van elk van de partners en een onafhankelijke voorzitter. Ook bevat de aandeelhoudersovereenkomst een bepaling over de exit. Daarover is echter alleen opgenomen dat een partner die zijn aandelen wil vervreemden dit alleen zal doen na overleg met de andere partner.

De tweehoofdige directie van Keerpunt is afkomstig uit het netwerk van de twee partners. De joint venture is te klein om ook betrokkenheid te hebben vanuit de Raden van Bestuur van de partners. Daar zit echter ook een voordeel aan, namelijk dat de besluitvormingslijnen kort zijn.

Figuur 6.2: Keerpunt als joint venture

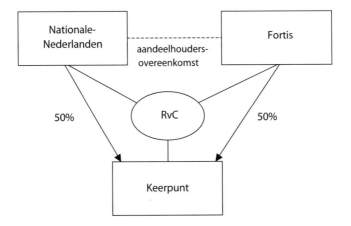

De aansturing van Keerpunt is zeer interessant. Het is niet primair de bedoeling dat Keerpunt zelf een grote winstmaker is. De belangrijkste bijdrage aan de winst van de partners moet liggen in de lagere schadelast die door de inzet van Keerpunt kan worden bereikt.

6.4 De verhouding Keerpunt-aandeelhouders

De aandeelhouders van Keerpunt zijn ook de grootste klanten van Keerpunt. Zij bieden de dienstverlening van Keerpunt aan in hun polissen. Daarnaast zijn zij vertegenwoordigd in de Raad van Commissarissen. Er is dus sprake van een complexe en meervoudige relatie tussen Keerpunt en de aandeelhouders. De commissarissen dienen verschillende rollen te balanceren. In Nationale-Nederlanden is daartoe de strategische rol zo veel mogelijk gescheiden van de operationele: de commissaris van Nationale-Nederlanden staat op enige afstand van de operaties. Op deze manier wordt gepoogd helderheid te creëren rondom de verantwoordelijkheden die elke betrokkene heeft.

De RvC vergadert drie keer per jaar. Door veranderingen in de markt en in de betrokken bedrijven zijn er diverse wisselingen geweest in de samenstelling van de Raad. Naast dit strategische overleg heeft Keerpunt elke zes weken overleg met Nationale-Nederlanden en Fortis Verzekeringen Nederland afzonderlijk over operationele zaken, zoals afstemming van werkprocessen, nieuwe producten en geleverde prestaties. Daarnaast gaat Fortis Verzekeringen Nederland driewekelijks bij Keerpunt op bezoek om over beleid, klanten en diensten te spreken. Deze besprekingen hebben een informeel karakter. Zowel Nationale-Nederlanden als Fortis Verzekeringen Nederland hadden in het begin één persoon gedetacheerd bij Keerpunt. Beide personen zijn inmiddels al enkele jaren in dienst van Keerpunt.

Negentig procent van de omzet van Keerpunt wordt direct of indirect aangeleverd via de aandeelhouders. Tijdens de budgetteringsronde bespreekt Keerpunt welke omzet de aandeelhouders denken te leveren. Deze laatsten moedigen Keerpunt niet aan om veel externe omzet te genereren buiten Nationale-Nederlanden en Fortis Verzekeringen Nederland. De tien procent externe omzet die is gegenereerd komt van kleine verzekeraars en een kleine groep tussenpersonen.

De aandeelhouders zijn niet primair uit op groei van Keerpunt. De belangrijkste winst voor aandeelhouders ligt niet in een toenemende aandeelhouderswaarde van Keerpunt, maar in de bijdrage die Keerpunt levert aan het beperken van de schadelast die zij moeten uitkeren. Keerpunt hoeft dus ook geen winst te maken: als er winst is dan gaan de tarieven naar beneden van de diensten die Keerpunt bij de aandeelhouders declareert. De omzet van Keerpunt is een kostenpost voor de aandeelhouders.

Geheel in lijn met dit financiële model wordt de directie van Keerpunt dan ook niet afgerekend op groeidoelstellingen. Zij wordt aangestuurd op de volgende punten:
* financiële indicatoren, waaronder productiviteit en gerealiseerde besparingen op de schadelast;
* personele indicatoren, zoals verzuim, medewerkerstevredenheid, management development;
* indicatoren rondom de klant, zoals klanttevredenheid, effectiviteit van re-integratie;
* externe omzet, die door de aandeelhouders aan de bovenkant is begrensd.

Naast deze formele aansturing is er ook aandacht voor kennisoverdracht tussen de organisaties. Een voorbeeld hiervan is dat Keerpuntmedewerkers stage lopen bij Fortis Verzekeringen Nederland om hun kennis van het verzekeringswezen te vergroten. De verkopers van Fortis Verzekeringen Nederland leren op hun beurt over de dienstverlening die Keerpunt aanbiedt.

6.5 De verhouding tussen de partners

Een ander aspect van de alliantie is dat er sprake is van twee concurrenten die met elkaar samenwerken. Dit past in een bredere trend op alliantiegebied[7]. Samenwerking en concurrentie gaan hand in hand. Interessant is dat de toename van het aantal samenwerkingsverbanden niet leidt tot een vermindering van concurrentie. Integendeel, allianties worden steeds meer in de concurrentie-strijd ingezet om een concurrent af te troeven[8]. Steeds meer bedrijven werken samen met concurrenten. De term die hiervoor ontwikkeld is, is coöpetitie, een samentrekking van coöperatie en competitie[9].

Om een gelijke invloed van de partners te verzekeren is gekozen voor een twee-hoofdige directie, waarbij de twee directieleden uit het netwerk van de partners afkomstig waren. Inmiddels is dit onderscheid in de praktijk echter verdwenen en is er een eigenstandige Keerpuntdirectie ontstaan. Ook in de RvC is een con-structie gekozen die vertegenwoordiging van de twee partners waarborgt, maar tegelijkertijd voorkomt dat besluitvorming vastloopt. De voorzitter van de RvC is onafhankelijk. De overige twee leden vertegenwoordigen de partners.

Ondanks het feit dat de twee partners concurrenten zijn, wordt er goed samen-gewerkt. De aandeelhoudersovereenkomst is na ondertekening niet meer uit de kast geweest en beide partijen hebben het gevoel met een betrouwbare partner samen te werken. Overigens is de directe samenwerking tussen de twee part-ners geheel beperkt tot het overleg in de RvC. Daarbuiten spreken de partners zo goed als nooit met elkaar over Keerpunt. Niet alleen is dit niet nodig om de joint venture goed te laten functioneren, maar de partners willen ook graag ver weg blijven van mogelijke problemen met mededingingsautoriteiten. Om deze reden is de informatie-uitwisseling tussen de partijen beperkt.

De partners profiteren niet in dezelfde mate van Keerpunt. De laatste jaren heeft Fortis Verzekeringen Nederland meer zaken gedaan met Keerpunt dan Nationale-Nederlanden. De verwachting is dat de komende tijd de balans weer meer vijftig-vijftig zal worden. De beide bedrijven bieden de Keerpuntdiensten ook niet op dezelfde manier aan. Nationale-Nederlanden en Fortis Verzeke-ringen Nederland verwerken de Keerpuntdiensten elk op hun eigen manier in de polissen die ze de klant aanbieden. Inspelend op verdere differentiatie in de dienstverlening wordt er nu binnen Keerpunt ook meer gewerkt met vaste contactpersonen per partner.

6.6 Control en trust bij Keerpunt

In de besturing van de alliantie van Fortis Verzekeringen Nederland en Natio-nale-Nederlanden overheerst het control-perspectief (zie tabel 6.2). De aanwe-zigheid van een equity-relatie en de samenstelling van directie en RvC wijzen erop dat grip houden op de partner en de joint venture belangrijke elementen zijn in deze samenwerking. De aansturing van de joint venture door een helder planning- en controlsysteem past ook in dit beeld. Tenslotte is de scope van de alliantie scherp afgebakend. De scope geeft duidelijk aan welke zaken wel en welke niet tot de alliantie worden gerekend. Er is dus sprake van een heldere, strikte aansturing.

Tegelijkertijd vraagt de alliantie echter niet om een intensieve, directe relatie tussen de partners. Deze structuur zet meteen vraagtekens bij de aanname dat joint ventures een zeer intensieve vorm van samenwerking zijn. In joint ventures zijn de partners weliswaar langdurig met elkaar verbonden, maar er hoeft niet noodzakelijk een intensieve, rechtstreekse samenwerking tussen de partners te zijn. Nationale-Nederlanden en Fortis Verzekeringen Nederland spreken elkaar maar drie keer per jaar in de Raad van Commissarissen en wisselen daarbuiten geen kennis, informatie, personeel of diensten uit.

Naast de controlelementen zijn er ook enkele elementen te onderkennen uit de trust-benadering. Ondanks het feit dat de partners elkaars concurrenten zijn, zien ze elkaar als een betrouwbare partij. Ook zijn hun belangen complementair en kunnen ze hun doelstellingen realiseren door samen te werken. Waar de nadruk ligt op control, blijken dus ook enkele trust-elementen te zijn ingevuld.

Tabel 6.2: Control- en trustelementen rondom Keerpunt

Controlelementen	Trustelementen
Equityrelatie Samenstelling directie, RvC Planning & control door targets Afbakening scope alliantie	Partners zien elkaar als betrouwbare partij Complementaire belangen

In de relatie is de nodige dynamiek waar te nemen. De belangrijkste veranderingen in het bestuur van de alliantie zijn geweest de wisseling van aandeelhouder en de daarmee samenhangende overgang van Stichting naar BV. De achtergrond ligt in een verandering in de (verwachte) regelgeving. Met een andere partner kwam ook een zakelijker benadering de samenwerking binnen. De commerciëlere houding vroeg om een omzetting van de Stichting in een BV.

Naast deze grote aanpassingen zijn er ook kleinere geweest, zoals de veranderingen in de personele samenstelling van de Raad van Commissarissen en het feit dat Keerpunt is gaan werken met vaste contactpersonen voor elk van de aandeelhouders. Al deze wijzigingen zijn voornamelijk van formele aard en niet informeel. De aanleiding ligt niet in externe ontwikkelingen, maar vooral in veranderingen binnen Nationale-Nederlanden en Fortis Verzekeringen Nederland.

6.7 De BV en de BV

De Keerpunt case laat een aantal interessante aspecten zien van het gebruik van vennootschappen, die afwijken van wat gebruikelijk is bij gewone, zelfstandige vennootschappen, met natuurlijke personen als aandeelhouder. Tabel 6.3 laat de verschillen zien.

Bij een gewone BV staat het belang van de vennootschap centraal. De groei en
bloei van de onderneming is een doel op zich. De BV heeft daarmee een eigen
doelstelling. Bij joint ventures is dat niet het geval. Daar staat het belang van de
aandeelhouder centraal. Bij Keerpunt gaat het niet om het tot stand brengen van
een groot re-integratiebedrijf. Het gaat om vermindering van de schadelast van
de aandeelhouders. Keerpunt wordt dan ook beperkt in de mogelijkheid om
externe omzet aan te trekken, wat het wel zou doen als het een gewone BV was.
De doelstelling van Keerpunt is niet een doelstelling van Keerpunt zelf, maar is
afgeleid van de doelstellingen van de aandeelhouders.

Tabel 6.3: Verschillen 'gewone' vennootschap en joint venture

'Gewone' BV of NV	Joint venture

• belang van de vennootschap centraal
• zelfstandige doelstelling
• onbeperkte scope
• oneindig, blijft bestaan zolang zij
  economische levensvatbaar is
	• belang van de aandeelhouders centraal
	• afgeleide doelstelling
	• beperkte scope
	• eindig, tijdelijk, blijft bestaan zolang
	  zij voor de partners nuttig is

Dit vertaalt zich ook in een beperking van de scope van de joint venture. Het
werkterrein van Keerpunt is nauwkeurig omschreven. Bij een op zichzelf staande BV zou die afbakening nooit zo scherp zijn gekozen, maar zou juist getracht
worden om te groeien door bredere markten aan te spreken.

Een laatste verschil is dat een gewone BV in principe is opgericht voor een oneindige tijd. Pas wanneer er geen markt meer is voor de diensten of producten die
de BV aanbiedt, wordt zij ontbonden. Bij de joint venture is dat anders. Daar
bestaat de BV zolang zij nuttig is voor de partners. Het is denkbaar dat Keerpunt
op een gegeven moment geen nut meer heeft voor de partners en dat de BV wordt
opgeheven, zelfs wanneer er voor de diensten die Keerpunt aanbiedt nog wel een
markt is. Het uittreden van SFB als aandeelhouder is al een indicatie daarvan.
Ontbinding van een BV is natuurlijk maar één van de opties in een dergelijk
geval. Verzelfstandiging, verkoop aan een derde of splitsen van de BV en haar
onderbrengen in de organisaties van de aandeelhouders zijn de andere opties.

De verschillen tussen de gewone vennootschap en de joint venture zijn van
belang. Aandeelhouders dienen zich ervan bewust te zijn dat een joint venture
om een ander bestuursconcept vraagt dan de gewone vennootschap. De andere
kant van de medaille is dat directies van een joint venture moeten accepteren
dat zij niet als gewone vennootschap kunnen functioneren.

6.8   Wanneer is een joint venture de juiste vorm?

Joint venture structuren zijn het best toepasbaar wanneer er schaalvoordelen zijn bijvoorbeeld bij de benutting van capaciteit. Marktmacht verkrijgen kan ook een reden zijn voor het opzetten van een joint venture. Bij Keerpunt speelt alleen de eerste reden voor een deel een rol. Door de re-integratie die Nationale-Nederlanden wil bieden te combineren met die van Fortis Verzekeringen Nederland, kunnen pieken en dalen in de vraag beter worden opgevangen en dacht men het risico van leegloop te verminderen. Achteraf gezien blijkt het laatste doel meer dan te zijn bereikt: Keerpunt heeft juist een grote groei laten zien en heeft een grote hoeveelheid werk.

Joint ventures worden opgezet voor een lange tijdsduur. Het heeft weinig zin een dure structuur als een BV of NV op te zetten voor een kort lopend project. Bovendien zijn aandelen in een joint venture vaak moeilijk te verkopen aan derden. Het loont dus alleen om een joint venture op te zetten wanneer de verwachte looptijd lang is.

De scope van een joint venture is breed: het gaat echt om een complete business die wordt opgezet. Partners zoeken geen toegang tot één enkele competentie van de andere partner, maar tot een set van competenties waarmee een zelfstandig opererend bedrijf kan worden opgezet. In afwijking van de virtuele joint venture, moeten deze competenties dan ook nog te isoleren zijn uit de moederbedrijven. Bovendien moeten er duidelijke voordelen zitten aan de integratie van de competenties in één bedrijf.

De mate waarin de joint venture zelfstandig kan functioneren is een andere variabele. Het moet wel mogelijk zijn om de joint venture als een zelfstandig bedrijf te runnen. Keerpunt krijgt weliswaar bijna de gehele omzet van de aandeelhouders, maar binnen Keerpunt kan worden geoptimaliseerd en worden nieuwe diensten ontwikkeld. De Keerpuntdirectie heeft een compleet bedrijf onder zich met alles erop en eraan. De doelstelling is weliswaar afgeleid van die van de partners, maar de manier waarop die doelstelling het best kan worden bereikt wordt geheel bepaald door Keerpunt zelf. De optimalisering ligt op het niveau van Keerpunt.

Een uitgesproken nadeel van joint ventures is dat het lang duurt om ze op te zetten. Snel schakelen is niet mogelijk. Contractuele allianties zijn veel sneller te realiseren en hebben daarom een voordeel wanneer het aankomt op snel reageren op nieuwe ontwikkelingen. Ook zijn zij sneller te ontbinden dan joint ventures. In situaties waarin snelheid geboden is, hebben contractuele allianties dus de voorkeur.

Samenvattend zijn de belangrijkste bestuursmechanismen van een joint venture de aandelenverhouding, de aandeelhoudersovereenkomst, de afbakening van de scope van de joint venture en de afrekening van de directie. Joint ventures verschillen daarbij op belangrijke aspecten van gewone vennootschappen. Partners in een joint venture moeten zich er ook bewust van zijn dat het bezit van de helft van de aandelen niet betekent dat zij ook de helft van de winst krijgen of zelfs maar de helft van de control hebben. Te veel denken in termen van de aandelenverhouding miskent het feit dat er veel andere manieren zijn om waarde uit een joint venture te halen en invloed uit te oefenen op het bestuur van de joint venture.

Noten

1 Yan en Gray, 1994
2 Reich en Mankin, 1986
3 Slagter, 1985
4 Deze en de volgende passages zijn gebaseerd op Bamford en Ernst, 2005
5 Dit kader is mede gebaseerd op Ariño et al., 2005
6 Ars, 2006
7 Bell, 2003
8 De Man, 2004b
9 Brandenburger and Nalebuff, 1997

7
Talentgroep en Prominent: Hoe meer zielen...

Skyteam is een alliantie van negen luchtvaartmaatschappijen. In het Future Store Initiative, een alliantie van de Duitse retailer METRO gericht op innovatie in supermarkten, participeren bijna zestig partijen. De Worldwide Retail Exchange is een in 2000 opgerichte joint venture van zeventien partijen, waaronder Ahold, gericht op het verbeteren van de supply chain tussen producenten en retailers.

Naast samenwerkingsverbanden tussen twee partners, zijn er ook samenwerkingsverbanden waarin diverse partners participeren. Nu een aantal bedrijven het management van bilaterale samenwerking onder de knie heeft, beginnen zij aan de volgende ronde van complexiteit: multipartnersamenwerkingsverbanden. Deze samenwerkingsverbanden kunnen verschillende vormen aannemen. Juridisch gezien bestaan er zowel contractuele samenwerkingen (zoals Skyteam en het Future Store Initiative) als joint ventures (Worldwide Retail Exchange). Ook kunnen deze allianties een centrale partner hebben of decentraal zijn samengesteld. De doelstellingen kunnen ook verschillen: van het vergroten van inkoopmacht tot gezamenlijk innoveren tot samenwerking om een klant te bedienen. Dit hoofdstuk laat twee voorbeelden van multipartnerallianties zien met twee geheel verschillende besturingsmodellen: Talentgroep en Prominent.

7.1 Multipartnerallianties

Multipartnerallianties vormen een minderheid van het totale aantal allianties. Het aantal verschilt echter sterk per sector. Van de technologieallianties die in de IT worden gesloten zijn er 17% multipartnerallianties. In de biotech ligt dit percentage maar op 3,5%, in de telecom op 13% en in de financiële sector op 15%. De verschillen zijn per sector goed te verklaren. Zo is rondom informatietechnologie multipartnersamenwerking noodzakelijk omdat elke partij maar een klein deel heeft van het product dat de klant wenst. Een enkel bedrijf heeft of de software of de hardware of de routers etc. De uiteindelijke consument wil dit echter als een geïntegreerd pakket hebben. Samenwerking is het gevolg. In de biotechnologie zijn er veel meer 'stand alone' technologieën: technologieën die ook waarde hebben wanneer ze niet met andere worden gecombineerd. De noodzaak tot multipartner samenwerken is daar dus veel kleiner. De telecom integreert steeds meer met de IT en kent daarom ook een groeiend aantal multi-partnerrelaties. In de financiële sector zijn IT-standaarden ook steeds belangrijker, zodat ook daar de multipartnersamenwerking toeneemt.

Een andere achtergrond van multipartnersamenwerking kan zijn dat kleinere partijen zich verbinden om een grotere partij te beconcurreren. Zo kreeg Vodafone als dominante speler in de telefoniemarkt, concurrentie van het samenwerkingsverband Freemove waarin een aantal andere telecombedrijven zich verenigd hadden. Microsoft heeft met het Passport initiatief, dat erop gericht was het voor mensen makkelijker te maken zich te registreren op het Internet, een tegenkracht opgeroepen in de vorm van de Liberty Alliance. In deze samenwerking verenigden zich veel van Microsoft's concurrenten om een soortgelijke dienst op te zetten. Op deze manier ontstaan groepen van bedrijven die weer met andere groepen van bedrijven concurreren.

Ondanks alle verschillen, kennen deze multipartnersamenwerkingsverbanden een aantal soortgelijke problemen[1]. Ten eerste is de opbouw van relaties minder eenvoudig dan in een bilaterale alliantie. Elke partner die erbij komt zal relaties moeten onderhouden met alle andere partners. Zeker bij grote partneraantallen is dat nauwelijks haalbaar. Tussen een aantal partners zal de relatie dus oppervlakkig blijven. Omdat de informele kant in allianties van belang is, kan dit een belemmering vormen voor het halen van de doelen van de alliantie.

Ten tweede is het moeilijker projecten te definiëren die voor iedereen aantrekkelijk zijn. Iedere partner heeft immers een eigen strategie en eigen belang en de kans dat die sporen met de strategieën en belangen van vele anderen is niet groot. Wanneer er een gezamenlijk belang gevonden wordt, is dit vaak een langetermijnbelang. De opbrengsten van de samenwerking zijn dan niet op korte termijn in harde euro's te vertalen. Dit maakt het moeilijk om partners te motiveren aan de alliantie bij te dragen.

Ten derde is het lastiger om opportunisme te ontdekken en af te straffen. Bij één enkele partner is het al moeilijk om er achter te komen of wat de partner zegt waar is. Bij een groot aantal partners is het nauwelijks mogelijk van allen in de gaten te houden of ze wel de bijdrage leveren die ze belooft hadden. Free-riding, profiteren van het werk van anderen zonder zelf bij te dragen, blijft in multipartnerallianties daarom vaker onbestraft dan in bilaterale allianties.

De organisatie van besluitvorming is een volgend probleem. Consensus bereiken met een groot aantal partners is nauwelijks mogelijk. Democratische besluitvorming komt voor, maar nog vaker blijkt dat in multipartnerallianties er toch een dominante partner is die de lakens uitdeelt. Dit vraagt van die partner wel terughoudendheid bij het uitoefenen van zijn macht. Hij zal rekening moeten houden met de belangen van de andere partners.

Tenslotte is de samenstelling van multipartnerallianties zelden stabiel. Doorstroming onder de leden van multipartnerallianties is zeer gebruikelijk. Dit betekent dat er steeds weer nieuwe relaties moeten worden opgebouwd, terwijl bestaande relaties worden verbroken. Het vergt continu energie om de alliantie te laten voortbestaan.

Gelet op deze problemen is het niet verwonderlijk dat multipartnerrelaties vaak minder vergaand zijn dan bilaterale alliansies. Ze beperken zich vaak tot één activiteit, bijvoorbeeld gezamenlijke inkoop of ontwikkeling van een standaard, of ze vereisen geen vergaande integratie tussen bedrijven. Dit laatste doet zich voor wanneer partijen gezamenlijk de markt opgaan en ieder een module van een product of dienst aanbieden. Alleen de afstemming tussen de modules moet dan worden besproken, maar zodra dat duidelijk is, kan iedere partner weer voor zich werken.

Toch komen er ook verdergaande allianties voor met verscheidene partners. Deze bouwen dan vaak voort op al eerder bestaande relaties tussen partijen. In de tuinbouw in het Westland zijn daar diverse voorbeelden van waarvan één hieronder in meer detail zal worden beschreven. Daarnaast kunnen verdergaande multipartnerallianties ontstaan wanneer de druk heel hoog is. Zo wordt de nieuwe Boeing 787 eigenlijk ook bijna als een alliantie vormgegeven. Er zijn 43 toeleveranciers geselecteerd die gezamenlijk het nieuwe toestel bouwen. Zij zijn ook risicodragende participanten in het project. De traditionele manier van vliegtuigproductie bleek achterhaald te zijn, omdat zij te duur en te traag was.

Bij het laatste voorbeeld is nog duidelijk waar de samenwerking ophoudt. De productie van een vliegtuig is een helder afgebakend traject. In andere samenwerkingsverbanden is echter sprake van een open einde: het begint met de ene activiteit maar geleidelijk aan ontwikkelen ze zich steeds verder. Hieronder worden twee cases besproken. De eerste, de Talentgroep, is een multipartnersamenwerking met een overzichtelijk aantal partners en een helder afgebakende scope. De tweede, Prominent, kent meer dan twintig partners en heeft een open einde. Beide hebben betrekking op innovatie, maar in geheel andere sectoren: de bouw en de tomatenteelt.

7.2   De Talentgroep: multipartnersamenwerking met afgebakende scope

Net als in vele andere sectoren, ondergaat de bouwsector een aantal grote veranderingen. In veel gevallen is de bouw daarbij reactief in plaats van pro-actief. De Talentgroep vormt hierop een uitzondering. Dit samenwerkingsverband richt zich op de bouw en exploitatie (catering, schoonmaak, onderhoud) van scholen. Door bouw en exploitatie in één project onder te brengen ontstaan verschillende mogelijkheden tot optimalisering, waardoor een betere kwaliteit kan worden geleverd tegen een lagere prijs. Het combineren van verschillende competenties is noodzakelijk om dit te bereiken.

De Talentgroep is een samenwerkingsverband van bouwbedrijf Strukton, installateur Imtech en de dienstverlener op facility management gebied, ISS. Daarnaast zijn KPMG, Allen Overy en de Bank Nederlandse Gemeenten (BNG) bij de samenwerking betrokken. Het is in de bouw gebruikelijk dat wordt samengewerkt rondom individuele projecten, waarna een consortium weer uit elkaar valt. De Talentgroep is echter opgericht voor de lange termijn. Zij wil verschillende bouwprojecten oppakken, omdat er sprake is van een leercurve. Hoe meer de partijen hebben samengewerkt, hoe meer zij leren wat de optimale werkwijze rondom bouw en exploitatie van scholen is. De partners zien het als een markt, die alleen rendabel te maken is wanneer voor langere tijd wordt samengewerkt. Daardoor leren zij waar de winst te behalen is in dit soort projecten, die voor de bouw tot de kleinere projecten zijn te rekenen. Een voorbeeld: Strukton kan bouwen met materialen die ISS goed kan onderhouden. Dat kan in het begin wat duurder zijn, maar gedurende de gehele leeftijd van het gebouw wordt dat terugverdiend door goedkoper onderhoud. De schatting is dat door dit soort afstemming 5-20% efficiencywinst te behalen is op de totale kosten van een project.

In 2001 is Strukton begonnen naar deze constructie te kijken. Er is gekozen voor een model waarbij de partners samenwerken en niet voor een constructie met een hoofdaannemer en onderaannemers. Het samenwerkingsmodel geeft meer betrokkenheid en een betere afstemming. De partijen bieden gezamenlijk op een project waarna bij gunning van het project een BV wordt opgezet. Het eerste project dat werd verkregen was de bouw van het Montaigne college in opdracht van de gemeente Den Haag.

Strukton selecteerde ISS en Imtech als kernpartners omdat ze een zelfde visie op de markt hadden en al hadden gewerkt met dit soort nieuwe concepten. Daarnaast was in het begin ook de Engelse financier Barclays aangehaakt, om de financiering van projecten te verzorgen. Barclays stapte echter uit de samenwerking omdat het vond dat de tijdshorizon voordat de eerste revenuen binnen zouden komen te lang was. Op een later tijdstip is de BNG als financier aangetrokken. Daarnaast zijn Allen Overy als jurist en KPMG als financieel adviseur aangetrokken. Deze laatste drie partijen zijn geen volledige partner in de alliantie, maar hebben wel een langdurig samenwerkingsverband met de Talentgroep. Er ontstaat dus een complexe constructie, zoals weergegeven in figuur 7.1.

7.3 Besturing van de Talentgroep

De samenwerking tussen ISS, Strukton en Imtech is vastgelegd in een 'umbrella agreement'. Deze beschrijft de werkwijze van de samenwerking. Het doel is om marktleider worden met dit concept in de onderwijsmarkt. Er zijn geen nadere doelen gepreciseerd en er is geen einddatum vastgelegd. Ook is de samenwerking niet exclusief.

Afstemming vindt plaats in een stuurgroep. De stuurgroep bestaat uit hoger management van de drie partners. Inhoudelijke punten waarover de stuurgroep niet in gezamenlijkheid tot een beslissing kan komen, kunnen worden voorgelegd aan de Raden van Bestuur van de drie partners. Verder zijn er procedures afgesproken voor geschiloplossing, vertrouwelijkheid en de manier waarop wordt omgegaan met investeringen. De stuurgroep vergadert om de anderhalve maand en beslist op basis van unanimiteit. Wanneer over marketing wordt gesproken wordt de stuurgroep uitgebreid met vertegenwoordigers van KPMG, Allen Overy en de BNG.

Figuur 7.1: Structuur van de Talentgroep

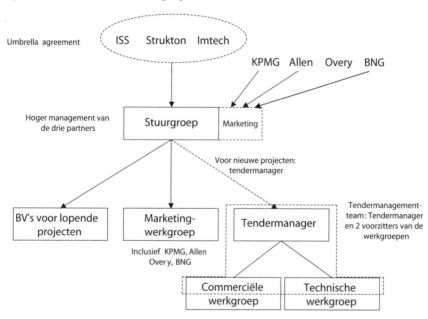

Voor elk nieuw project wordt een tendermanager benoemd en leveren de drie kernpartners personen aan voor twee werkgroepen: een commerciële en een technische werkgroep. De tendermanager bereidt samen met het tendermanagementteam, waarin de voorzitters van de werkgroepen zitten, de bieding op een project voor. De stuurgroep beslist over de uiteindelijke bieding die op een project wordt gedaan.

Wanneer een project wordt gegund, wordt een aparte BV opgezet om het project uit te voeren. De aandelenverhouding in deze BV wordt per geval uit onderhandeld. De besluitvorming in de BV is echter op basis van consensus en unanimiteit en niet op basis van de aandelenverhouding. De reden hiervoor is dat het commitment van alle partners nodig is om de samenwerking tot een succes te maken. Verder worden rondom deze BV uitgebreide verdere afspraken gemaakt.

De contracten zijn zeer gedetailleerd en er zijn uitgebreide procedures voor voortgangsbewaking van de planning, kwaliteitstoetsen, ontwerpreview, budgetbewaking. Na oplevering zijn er ook prestatiemaatstaven rondom de exploitatie gedefinieerd. Boetes die aan de opdrachtgever moeten worden betaald in verband met late oplevering, worden doorberekend aan de individuele partner die de boete heeft veroorzaakt. De BV gaat op haar beurt weer relaties aan met andere BV's die verantwoordelijk zijn voor bouw, onderhoud en financiering van een project.

Het laatste deel van de structuur uit figuur 7.1 is de marketing werkgroep. In de umbrella agreement is het bestaan daarvan nog niet opgenomen. Het bleek in de loop van de tijd dat het nodig was om deze werkgroep in het leven te roepen, omdat het concept van bouw en exploitatie in één hand niet door alle klanten direct begrepen werd. Doel van de marketing werkgroep is dan ook het concept in de markt te promoten. In de marketing werkgroep hebben ook KPMG, Allen Overy en BNG zitting. De werkgroep vergadert elke drie weken over marketingacties zoals te houden presentaties, nieuwe leads en website-ontwikkeling. Het doel van de marketing werkgroep is om vier tot vijf nieuwe prospects te ontwikkelen per jaar. Een voorbeeld van een probleem aan de kant van de klant is dat de opdrachtgever van de bouw van scholen altijd de gemeente is, terwijl de exploitatie door de scholen zelf wordt betaald. Gemeenten bouwen hierdoor vaak goedkoper, waardoor de school met een duurdere exploitatie zit. Dit soort belangen moet op één lijn komen om het concept van de Talentgroep te laten slagen.

Binnen de partners leidt de samenwerking ook tot veranderingen. Strukton had al langer een afdeling die zich bezig hield met soortgelijke projecten. ISS en Imtech hadden dat niet. Ook bij hen is de expertise echter inmiddels in een aparte afdeling geconcentreerd, waardoor bij alle partners kennisopbouw op dit vlak kan plaatsvinden. Dit vermindert wellicht ook de personeelswisselingen die zich hebben voorgedaan. De bezetting vanuit Strukton is duurzamer geweest dan de bezetting vanuit ISS en Imtech.

Een andere bedrijfsinterne component is de manier waarop de alliantiemanager van Strukton wordt afgerekend. Hij wordt namelijk afgerekend op het resultaat van de Talentgroep en niet op het resultaat voor Strukton. Dit ondanks het feit dat hij wel risico's aangaat voor Strukton. Verder spreekt hij vanuit zijn rol in Talentgroep alle partners aan op hun prestaties, inclusief Strukton zelf, wanneer dat nodig mocht zijn.

Met name tussen Strukton en Imtech enerzijds en ISS anderzijds bestaan er enkele belangrijke verschillen in werkwijze en cultuur (zie tabel 7.1). Strukton en Imtech zijn projectgerichte organisaties, terwijl ISS een continue business heeft. Met dit verschil hangt een aantal andere verschillen samen. Zo is ISS een margebedrijf dat betaald wordt op basis van ingezet personeel, terwijl de anderen hun rendement per project verdienen. ISS is afhankelijk van hoe een klant het gebouw gebruikt, terwijl de anderen voor een klant werken en vertrekken zodra het gebouw staat. ISS is daardoor klantgerichter, waar Strukton en Imtech vanuit hun verleden vooral technisch gericht zijn. Bouwprojecten hebben een looptijd van jaren, waardoor de laatsten wel een langetermijnoriëntatie hebben. Bij ISS wordt meer van jaar op jaar gekeken. Tenslotte is ISS een wereldwijde organisatie en veel groter dan de bouwer en installateur.

Tegenover deze verschillen staat de overeenkomst dat alle partners een open cultuur hebben waarin veel bespreekbaar is. Mede daardoor zijn ze dan ook in staat geweest toch succesvol samen te werken. In de loop van de tijd hebben partijen elkaar ook leren kennen en zijn de verschillen in werkwijze overbrugbaar gebleken.

Tabel 7.1: Verschillen in werkwijze en cultuur

ISS	Strukton/Imtech
• Continue business • Margebedrijf • Werkt *met* klant: • Klantgericht • Kortetermijnoriëntatie • Veel groter en dus veel meer mensen betrokken bij projecten	• Projectomgeving met pieken en dalen • Rendement per project • Werkt *voor* klant • Technisch gericht • Langetermijnoriëntatie • Klein vergeleken met ISS

7.4 Control en trust in de Talentgroep

Met betrekking tot control en trust doet zich in de Talentgroep het interessante fenomeen voor dat er op het niveau van de umbrella agreement meer sprake is van een trustbenadering terwijl rondom de BV's voor de verschillende projecten juist sprake is van een sterke controlbenadering (zie tabel 7.2). De umbrella agreement bevat enkele controlaspecten zoals basisafspraken rondom de werkwijze en een beschrijving van de overlegstructuren. Verder ademt het bestuur echter vooral een sfeer van groei en leren. De visie op de markt van de partners is hetzelfde en complementaire belangen zijn aanwezig. Een vergaande control op het niveau van de umbrella agreement is daarom ook minder nodig.

Tabel 7.2: Control- en trustelementen in de Talentgroep

Control	Trust
• Heldere basisafspraken • Overlegstructuren • Zware control in de BV's	• Gericht op vergroten van de koek • Complementaire belangen/combineren competenties • Leren • Meer sturing op visie dan op doelen • In de BV's: besluitvorming op basis van consensus en unanimiteit

Heel anders ligt dit bij de BV die is opgezet voor het Montaigne project. Hier zijn heel heldere afspraken gemaakt en is een strenge controle. De reden hiervoor is dat de BV afspraken heeft met de opdrachtgever, waarin diverse boeteclausules zijn opgenomen voor late oplevering. Er is dus een noodzaak om op dit niveau heel strak aan te sturen. Overigens geldt ook hier dat er niet alleen op control wordt gemanaged. Het feit dat de besluitvorming in de BV niet wordt gedaan op basis van aandelenverhoudingen maar op basis van consensus en unanimiteit laat zien dat de trustbenadering ook hier een rol speelt. De controlbenadering vormt echter de hoofdmoot van de aansturing.

De relatie heeft ook de nodig dynamiek gekend. Het vertrek van Barclays is daar het belangrijkste voorbeeld van. De opzet van de marketing werkgroep en de uitbreiding van de stuurgroep waar het marketingvraagstukken betreft, zijn ook voorbeelden van veranderingen in het bestuur van de alliantie. Deze wijzigingen zijn eerst informeel doorgevoerd en werden later vastgelegd toen na het starten van het Montaigne project de umbrella agreement werd aangepast aan de gewijzigde omstandigheden. Een laatste verandering is dat alle partijen nu een eigen afdeling hebben met expertise op het gebied van dit soort projecten. Dit maakt het kennisopbouw eenvoudiger.

De Talentgroep is een contractuele multipartnersamenwerking met een heldere scope en afbakening, die op het overall niveau een combinatie van trust en control inzet om de alliantie te besturen. Op het niveau van de BV's die daadwerkelijk een bouwproject gaan uitvoeren overheerst het controldenken. De volgende case wijkt op een aantal punten hiervan af.

7.5 Prominent: multipartnersamenwerking met open einde

Het begin van de jaren negentig was een traumatische periode voor de Nederlandse tomatenteelt. De grootste afnemer van tomaten, Duitsland, keerde het product uit de Westlandse kassen de rug toe. De smaak van de tomaten was volgens de Duitsers beneden de maat: te waterig. Nog jaren later circuleert de term 'Wasserbombe' in het Westland als afschrikwekkend voorbeeld van de manier waarop de glastuinbouw zijn markt kan verliezen, wanneer niet voldoende aandacht wordt besteed aan de klant, aan productdifferentiatie en aan continue innovatie.

Uit noodzaak komen echter vaak mooie dingen tot stand. Naar aanleiding van de Wasserbombe-affaire besluiten zes telers met in totaal twintig hectare tomaten samen te gaan werken aan de teelt van trostomaten. Met hetzelfde ras en hetzelfde teeltreglement, dat beschrijft welk assortiment wordt gevoerd en aan welke voorwaarden de teelt moet voldoen, vormen deze zes de Coöperatieve Telersvereniging Prominent. Het is dan 1994.

In de jaren die volgen breidt het werkgebied van Prominent zich continu uit en neemt ook het aantal telers toe. In 2006 heeft de Telersvereniging 22 leden met in totaal 120 hectare tomaten. De Telersvereniging is inmiddels eigenaar van een aantal BV's, waaronder een verpakkingsbedrijf en een BV waar de leden gezamenlijk experimenteren met nieuwe teeltmethoden. In de sector wordt Prominent gezien als één van de toonaangevende samenwerkingsverbanden op tuinbouwgebied.

Telersverenigingen zijn de afgelopen jaren sterk in opkomst. In de tuinbouw zijn er bijna 70 op het gebied van groente en 50 in de sierteelt[1]. Ze zijn er in alle soorten en maten: sommige richten zich vooral op gezamenlijke inkoop, andere op verkoop, kennisuitwisseling of innovatie. Prominent heeft zich ontwikkeld tot een vereniging die zich op al deze gebieden beweegt.

Als missie heeft Prominent gedefinieerd het produceren van tomaten op een duurzame wijze, waarbij de leefomgeving een hoge prioriteit heeft. De vereniging moet een instrument zijn waarmee individuele leden het hoogste rendement voor hun eigen bedrijf kunnen halen. Het doel van Prominent is dus niet primair om een apart bedrijf neer te zetten, maar door middel van samenwerking bij te dragen aan de winst van de individuele telers.

7.6 Besturing van Prominent

De structuur van Prominent is afgebeeld in figuur 7.2. De 22 telers zijn lid van de Coöperatieve Telersvereniging Prominent. Het bestuur van de telersvereniging is het hoogste orgaan. In de loop van de tijd hebben de activiteiten zich uitgebreid met enkele BV's. Deze zijn ondergebracht in Prominent Holding BV, die bestuurd wordt door de telersvereniging. De Holding bestuurt twee BV's: DC Prominent BV, waarin activiteiten rondom de verpakking van tomaten zijn

1   Dank aan VanderZandeFlorPartners voor het aanleveren van deze gegevens en extra achtergronden over samenwerking in de tuinbouw.

ondergebracht, en Prominent Groeneweg BV, waarin een kas is ondergebracht waar geëxperimenteerd wordt met nieuwe belichtingstechnieken. Een derde BV (Groeneweg II) is onder weg. Kader 7.1 geeft een meer gedetailleerde beschrijving over de BV's. Het bestuur van de Telersvereniging heeft de bestuurstaak van de BV's DC Prominent en Groeneweg uitbesteed aan aparte besturen voor elk van die BVs. Daarin zitten naast het management van de BVs ook weer leden van de Telersvereniging.

Figuur 7.2: Structuur van Prominent in 2006

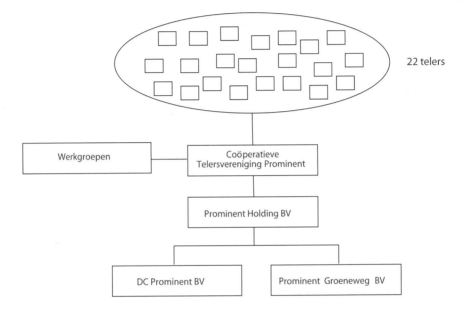

Kader 7.1: Activiteiten van Prominent

DC Prominent
Distributiecentrum (DC) Prominent is een verpakkingsbedrijf dat opgericht is in 2000. Het verpakt tomaten in consumentenverpakkingen voor de Amerikaanse en Duitse markt. Verpakken gebeurde eerst door de telers zelf. De telers hoeven nu niet meer in eigen machines te investeren. DC Prominent heeft een eigen verpakkingsmachine ontwikkeld en dit DC is nu een van de modernste van Europa. De machine is uitgedacht door leveranciers van machines en door een commissie van telers die ervaring hadden met verpakking en die gevoel hadden voor afzet. Veiling- en verkooporganisatie The Greenery heeft aan DC Prominent ook gevraagd cross-docking activiteiten voor Italië van hen over te nemen. Verschillende soorten groenten met bestemming Italië worden nu dus in DC Prominent gegroepeerd en in vrachtwagens geladen. Het bestuur van DC Prominent bestaat uit vier telers, twee leden van het managementteam en een vertegenwoordiger van The Greenery.

Prominent Groeneweg en WKK
Dit is een teeltbedrijf dat experimenteert met groeilicht. Dit is een nieuw soort belichting die de groei van planten zou kunnen bevorderen. Het is het eerste bedrijf dat groeilicht op grote schaal (7 ha) toepast. Het werd in 2003 in gebruik genomen. Telers hoeven nu niet meer ieder voor zich uit te vinden op welke manier groeilicht het best kan worden toegepast, maar kunnen de lessen uit Groeneweg toepassen in hun eigen bedrijf. Ook kan Prominent door deze locatie jaarrond tomaten leveren. Leden mogen tweewekelijks de kas bezoeken om vorderingen te bekijken. Het bestuur van Groeneweg bestaat uit zes telers en twee leden van het managementteam. Interessant is ook dat tachtig procent van de elektriciteit voor Groeneweg door een eigen warmtekrachtkoppelinginstallatie (WKK) wordt opgewekt. De leden verdiepten zich in energie en het bleek dat daar geld te verdienen viel, omdat een WKK-installatie een hoger rendement heeft. De warmte en CO_2 die normaal bij elektriciteitsproductie ontstaat, kan nu voor de kas worden gebruikt, terwijl die normaal wordt vernietigd. De CO_2 bevordert de groei van de planten. Het succes met WKK leidde tot de oprichting van een WKK-werkgroep in Prominent. Inmiddels hebben vijftien Prominentleden een WKK op het eigen bedrijf geplaatst. Als groep leveren ze sinds 2005 overtollige elektriciteit aan het net.

Prominent Groeneweg II
Prominent Groeneweg II is een derde bedrijf dat in 2004 in ontwikkeling is genomen. In dit bedrijf wordt gewerkt aan de ontwikkeling van een zogenaamd gesloten kasconcept. Dit kasconcept moet leiden tot dertig procent minder gasverbruik per kas en een betere klimaatbeheersing. Ook dit is bedoeld als leerbedrijf voor de leden, maar het moet net als de andere bedrijven ook een eigen economisch rendabele bedrijfsvoering hebben.

Het bestuur van de Telersvereniging bestaat uit vijf leden en de twee managers van DC Prominent en Groeneweg. Het komt wekelijks bij elkaar. Leden bemoeien zich verder niet met de dagelijkse bedrijfsvoering. Het bestuur van de Telersvereniging legt verantwoording af in de algemene ledenvergadering, die maandelijks bij elkaar komt. Alleen over belangrijke investeringen zoals de opzet van nieuwe BV's onder de holding is instemming van de leden nodig. Er vindt dan een stemming plaats waarbij het aantal stemmen is verdeeld naar rato van grootte van het bedrijf, met een maximum van vijf hectare.

Daarnaast zijn er verschillende werkgroepen opgericht, onder andere voor inkoop en ras. De werkgroep ras houdt in de gaten of er nieuwe tomatenrassen zijn die interessant zijn voor Prominenttelers om te gaan telen. Prominent bepaalt vervolgens ook wie welk ras teelt. De werkgroepen leggen aan het bestuur verantwoording af voor hun werkzaamheden. Daarbij is er geen sprake van vrijblijvendheid: alle leden worden geacht in werkgroepen mee te draaien. Iedereen zit wel in minstens één werkgroep of draait mee in een bestuur, hetzij van de Telersvereniging, hetzij van één van de BV's.

Ook op de inhoudelijk component is er geen sprake van vrijblijvendheid. Prominent voert eigenlijk alle niet-kerntaken van de telers uit, dat wil zeggen al die zaken die niet direct op de teelt zelf betrekking hebben. Er zijn enkele leden die de inkoop doen voor alle Prominent-leden. Het voordeel daarvan is niet alleen dat er schaal ontstaat en een grotere marktmacht, maar ook dat enkele telers kennis opbouwen over inkoop en dus betere resultaten op dat vlak kunnen bereiken. Op alle gebied staat specialisatie van de leden bij Prominent centraal. Daardoor wordt kennisopbouw geoptimaliseerd. In plaats van een situatie waarin iedereen van alles een beetje weet, ontstaan er experts op bepaalde gebieden.

Door alle niet-kerntaken via Prominent vorm te geven, kan de teler zich bezighouden met zijn eigenlijke vak: het optimaliseren van de teelt. Ook op dit vlak wordt kennis uitgewisseld. De telers bezoeken elkaars kassen om de laatste ideeën over verbeteren van de teelt op te doen. Het is verplicht om elke week bij elkaar op de verschillende bedrijven excursie te lopen, zodat iedereen op de hoogte is van de voortgang van de teelt. Dit is overigens iets met een lange traditie in het Westland. Al decennia kijken telers bij elkaar in de kas. De excursiegroepen maken een lijst over hoe de teelt erbij staat en bespreken de opvallende zaken. Ook wordt tweewekelijks een doos tomaten twee weken in een koelcel gezet, waarna de kwaliteit (blind) wordt beoordeeld. Achterblijvers worden aangesproken op hun prestaties. Dat het optimaliseren van de teelt nog niet zo eenvoudig is, blijkt uit het feit dat de productiviteitsverschillen tussen telers nog aanzienlijk zijn.

Het vertrek van telers uit Prominent (wat een handvol keren is gebeurd), kwam altijd door het niet-vrijblijvende karakter. De inkoop was bijvoorbeeld eerst vrijblijvend. Telers die dat wilden, konden zelf inkopen. Een aantal deed dat ook. Dit leidde tot de situatie dat een groep leden de ledenvergadering moest verlaten als er over inkoop werd gesproken. In de loop van de tijd vond men dat een steeds vreemdere situatie en is verplicht gesteld dat alle leden meededen met gezamenlijke inkoop. Voor twee leden vormde dit aanleiding om uit de telersvereniging te stappen. Deze afspraken gaan ver, maar zijn wel helder. Juist in een club met 22 ondernemers zijn heldere afspraken nodig, zodat elk lid weet wat hij aan een ander heeft.

Het niet-vrijblijvende karakter is de prijs die moet worden betaald voor de voordelen van lidmaatschap. Deze draaien niet alleen om lagere inkoopkosten, maar ook om meer innovatie en grotere invloed bij The Greenery, het bedrijf dat de tomaten van Prominent vermarkt. Door de omvang van Prominent zijn Prominentleden vertegenwoordigd in een aantal commissies van The Greenery. Daardoor kan beter met The Greenery worden afgestemd.

Leden van de coöperatie worden geselecteerd op basis van een aantal criteria. Ze moeten gevestigd zijn in het Westland, een ras telen dat binnen de vereniging wordt geteeld, lid zijn van The Greenery, de juiste beleidsfilosofie hebben en zij moeten zich willen conformeren aan de overige regels van Prominent. Omdat elk lid verplicht is in werkgroepen deel te nemen, is sociale betrokkenheid gegarandeerd en worden de sterke punten van elke teler optimaal benut. Het maximum aantal leden is ongeveer 25. Prominent zoekt actief nieuwe leden als er te weinig zijn (minder dan 20), maar krijgt ook aanvragen van telers om lid te mogen worden. In de toekomst is het zeker mogelijk dat ook buiten het Westland wordt gekeken naar groeimogelijkheden voor Prominent. De voortdurende schaalvergroting impliceert dat bedrijven niet meer op het kleine oppervlak van het Westland kunnen groeien, maar ook daarbuiten zullen moeten gaan investeren. De vereiste groei kan een probleem gaan vormen voor de kleinere leden. De kleinste Prominentteler heeft 11.000 m² tomaten staan, terwijl de grootste 16 hectare heeft.

Alle leden leveren een financiële bijdrage. Gerelateerd aan de omvang van hun bedrijf zijn zij verplicht een lening te verstrekken aan de coöperatie. Die lening krijgen zij bij uittreding of anders na vijf jaar terug. Het DC Prominent is een rendabel bedrijf geworden en de rendementen ervan zijn geïnvesteerd in andere projecten zoals Groeneweg. Samen met een subsidie van de Europese Unie, is Prominent in staat gebleken de verdere uitbreiding zelf te financieren zonder een verdere bijdrage aan de leden te vragen. Groeneweg II zal waarschijnlijk zonder subsidie worden opgezet. De winst van de BV's gaat voor 10% naar het managementteam als incentive. Verder worden er geen winsten aan de holding onttrokken. De individuele leden moeten hun winsten halen uit toepassing in hun eigen bedrijf van de kennis en concepten die in de vereniging zijn ontwikkeld. Het balanstotaal van de vereniging loopt inmiddels in de vele miljoenen.

De aansturing van de BV's kan de indruk geven dat er rondom Prominent een strakke control is. Toch is het opvallende aan de case juist de grote invloed van vertrouwen en relaties in het netwerk. Partners laten immers belangrijke activiteiten die van belang zijn voor hun onderneming, zoals inkoop, de keuze van te telen rassen en innovatie, voor een belangrijk aan elkaar over. Dit vraagt om groot vertrouwen in elkaar. Dit vertrouwen kent een aantal oorzaken.

De eerste achtergrond van dit vertrouwen zit in de regionale cultuur. In het Westland wordt al langer veel samengewerkt. Al in de jaren vijftig keken verschillende tuinders bij elkaar in de kas om de laatste ideeën over het optimaliseren van de teelt op te doen. Aangezien veel familiebedrijven werden verdeeld onder de zoons, was er een noodzaak om op steeds kleinere stukken grond meer opbrengst te genereren. Met name in de kinderrijke katholieke gezinnen was de druk tot productiviteitsverhoging daarom groot. Uitwisseling van kennis was nodig om dat te realiseren. Later werd die samenwerking geformaliseerd in zogenaamde studieclubs, die zich geleidelijk verbreedden. Deze studieclubs werden nog ondersteund door de overheid en het productschap. Recentelijk is er een nieuwe impuls aan innovatie gegeven door de opzet van de telersverenigingen, waarmee een geheel privaat model van innoveren is ontstaan. Zo bezien staat Telersvereniging Prominent in een rijke traditie en cultuur van samenwerking in het Westland. Het feit dat er een zeer sterke concentratie is van tuinbouwbedrijven in een kleine regio zorgt er ook voor dat veel telers elkaar kennen, waardoor een sociale basis onder de samenwerking snel is te leggen. Er is een directe betrokkenheid. Ook vergemakkelijkt de concentratie in een regio de besluitvorming. Beslissingen kunnen snel worden genomen en het is mogelijk op korte termijn met elkaar af te spreken.

Een tweede element dat bijdraagt aan het onderlinge vertrouwen is de selectie van de juiste partners. Er wordt gezocht naar partners met de wil om te innoveren en met een cultuur en werkwijze die past bij Prominent. Omdat deelnemen in Prominent ook veel commitment van de partners eist, treedt er automatisch al een mechanisme van zelfselectie in werking. De werkwijze trekt het soort partners aan dat zich goed voelt bij deze vorm van samenwerking en schrikt partners af die niet bereid zijn zo vergaand samen te werken.

Ten derde wordt in Prominent ook bewust aandacht besteed aan de opbouw van relaties. De verplichting van deelnemers om bij te dragen aan kasbezoeken, werkgroepen en het bestuur van BV's zorgt ervoor dat iedereen wel in één of meer groepjes zit. Daardoor leren de ondernemers elkaar kennen. Bovendien is er ook aandacht voor informele zaken. Elke vergadering en excursie heeft wel een informeel deel.

Door deze achtergronden is de rol van vertrouwen bij het besturen van Prominent heel groot geworden. Er is een normen- en waardepatroon ontstaan waarin collegialiteit de boventoon voert. Daarbij wordt de zakelijke kant natuurlijk nooit uit het oog verloren, maar de zakelijke kant is juist sneller tot bloei te brengen in de vertrouwensrelatie die tot stand is gekomen.

7.7 Control en trust in Prominent

Tabel 7.3 geeft de belangrijkste control- en trustelementen weer van de Prominent case. Heldere basisafspraken en de verplichting om mee te draaien in het complete systeem zijn de belangrijkste mechanismen die worden gebruikt om de telersvereniging op strategisch en organisatorisch niveau op de rails te houden. Daarnaast zijn er allerlei operationele doelen gesteld waarop controle wordt uitgeoefend, bijvoorbeeld ten aanzien van de kwaliteit van de tomaten.

Tabel 7.3: Control- en trustelementen in Prominent

Control	Trust
• Heldere basisafspraken • Verplichting om in het hele systeem mee te draaien • Operationele controle (bijvoorbeeld op BV's en op productkwaliteit)	• Vertrouwen en commitment van partners • Wortelt in regionale cultuur en werkwijze • Aandacht voor relatieopbouw • Collegialiteit • Intrinsieke motivatie

Gelet op de hoogte van de investeringen in de Telersvereniging, die in de vele miljoenen loopt, speelt vertrouwen echter een relatief grote rol in het bestuur van de samenwerking. Kennis speelt hierbij ook een rol: nieuwe activiteiten worden zoveel mogelijk belegd bij die leden die de meeste expertise op het betreffende gebied hebben. Dit draagt bij aan het vertrouwen dat de samenwerking effectief zal zijn. De samenwerkingsbereidheid en samenwerkingsvaardigheid van de partners is verder geworteld in de Westlandse cultuur en geschiedenis. Er is bewust aandacht voor het opbouwen en handhaven van relaties, zodat de juiste sfeer van collegialiteit in het netwerk ontstaat. Hoewel de aanleiding om te gaan samenwerken extern was, namelijk de Wasserbombe-affaire, is er in de samenwerking een sfeer ontstaan om dingen steeds beter doen. De trots op wat bereikt is, is duidelijk aanwezig en een belangrijke motiverende factor. Toen Prominent begin 2006 uit handen van de Minister van Landbouw de Nationale Tuinbouw Ondernemingsprijs kreeg uitgereikt voor de samenwerking, stonden dan ook alle ruim twintig ondernemers op het podium om de hulde in ontvangst te nemen.

De dynamiek in de samenwerking is groot. Dezelfde coöperatieve vereniging bestaat nog altijd, maar met de komst van de BV's heeft de bestuurlijke opzet wel een transformatie ondergaan. Er zijn fulltime managers bijgekomen in de BV's en zij zijn ook deel gaan uitmaken van het bestuur van Prominent. Een tweede element van dynamiek ligt in het in- en uittreden van partners. Deze verschuivingen zorgen ook voor veranderingen en de partners moeten in de samenwerking worden ingepast of er uitgelicht. Een derde element ligt in de verdergaande verplichtingen van leden. De verplichting voor alle leden om deel te nemen aan de inkoop is hier een voorbeeld van. Er lijkt op dit aspect ook een positieve dynamiek te zijn: intensivering vergroot het succes van de samenwerking waardoor leden bereid zijn nog intensiever samen te werken.

De aanleiding voor de dynamiek in de samenwerking is niet primair extern, maar vindt vooral haar oorsprong in de intrinsieke motivatie van de samenwerkende ondernemers om steeds nieuwe dingen op te pakken. Zij hebben een natuurlijke drive om hun vakgebied verder te brengen en om Prominent te ontwikkelen. Dit gaat verder dan in formele afspraken en regels te vangen is (zie het concept volition in hoofdstuk 2).

In dat kader is ook het open einde van de samenwerking een relevant gegeven. De samenwerking is begonnen tussen zes telers die allen trostomaten teelden en een zelfde teeltreglement volgden. Inmiddels is er een compleet distributiecentrum gebouwd, zijn er twee kassen waar geëxperimenteerd wordt met nieuwe technologie, is er geïnvesteerd in WKK en is de inkoop gecentraliseerd. Bij de start van Prominent in 1994 was niet te voorzien dat de samenwerking zich zo zou uitbreiden. Er is geen einde in zicht: goede business ideeën zullen worden opgepakt. Soms moet er zelfs worden afgeremd. Het idee om ook in Spanje met teelt te beginnen, is bijvoorbeeld na veel discussie afgeketst met name omdat er al zoveel managementaandacht nodig was voor de huidige BV's.

Samenvattend gaat het bij Prominent om een multipartnersamenwerking met een open einde, waarin specialisatie en innovatie centraal staan. Naast een aantal control-elementen, waaronder de verplichting in alle aspecten van Prominent mee te draaien, spelen ook de relationele aspecten een grote rol. Deze zijn geworteld in de unieke geschiedenis van het Westland.

En de Wasserbombe? Die is verdwenen. In 2005 is Nederland na vele jaren weer de grootste tomatenleverancier van Duitsland geworden[2].

7.8 Wanneer is multipartnersamenwerking de juiste vorm?

Aangezien multipartnersamenwerking zich op allerlei gebieden kan voordoen, is het niet eenvoudig aan te geven onder welke omstandigheden zij het best toepasbaar is. Natuurlijk zijn elementen als schaal en het verminderen van innovatierisico's van belang, zoals Prominent laat zien. Talentgroep toont dat ook het combineren van verschillende competenties (bouw, onderhoud, financiering) een aanleiding kan zijn om multipartnersamenwerking te zoeken. Waar het de doelstelling betreft, is multipartnersamenwerking dus breed toepasbaar. De business dicteert dan of er veel of weinig partners nodig zijn om de beoogde doelen te bereiken.

Een vraag die de cases oproept, is wanneer er voor een multipartnersamenwerking ook een apart bedrijf moet worden opgericht. Strukton kiest ervoor om in eerste instantie met de umbrella agreement te werken. Pas wanneer er een concreet project is wordt er een BV opgericht. Prominent heeft de vorm van een coöperatie. Belangrijke overwegingen hierbij kunnen zijn het regelen van de aansprakelijkheid van partijen en de mate waarin er grotere geldstromen gemoeid zijn met de samenwerking. Voor de helderheid kan het in het laatste geval makkelijker zijn om een aparte eenheid te creëren die kosten en baten verdeelt, dan te werken met een Byzantijns systeem van verrekeningen tussen een groot aantal partners.

In sommige samenwerkingsverbanden is er een administratief kantoor nodig om bepaalde activiteiten uit te voeren. Ook voor dergelijke kantoren is het soms eenvoudiger om een aparte juridische eenheid in het leven te roepen, dan dit te beleggen bij één van de partners. De omvang van een dergelijke eenheid blijft echter meestal beperkt. Verder spelen bij deze keuze natuurlijk de elementen een rol die in de eerdere hoofdstukken zijn genoemd rondom de keuze voor een contractuele alliantie of een joint venture.

Het organiseren van de besluitvorming is een ander vraagstuk. Uiteindelijk zijn er twee extremen aanwijsbaar. De ene is democratische besluitvorming, de andere is besluitvorming door een dominante partner. In het algemeen is er geen vrije keuze tussen deze twee vormen van besluitvorming. Er moet immers maar net een dominante partner aanwezig zijn waarvan het leiderschap door alle partijen wordt geaccepteerd. Is die er niet, dan zal er sprake zijn van een vorm van democratie. In de praktijk ontstaan dan meestal wel informele leiders. Strukton vervult op die manier een relatief grote rol in Talentgroep.

Hoe meer zielen, hoe meer vreugd. Dit gezegde gaat niet altijd op voor allianties. Multipartnersamenwerking is meestal veel moeilijker te managen dan bilaterale samenwerking. Zij lukt alleen wanneer:
• er een doel is dat langdurig bijdraagt aan de doelen van alle individuele partners;
• besluitvorming eenvoudig kan worden gehouden terwijl wel alle kernpunten worden afgedekt door de besluitvormingsprocedures;
• er op operationeel niveau of wel zeer strakke control is (zoals in de joint ventures van de Talentgroep) of wel vergaand vertrouwen (zoals bij Prominent), zodat opportunistisch gedrag van partners wordt voorkomen;
• de samenwerking niet al te gevoelig is voor veranderingen in de samenstelling van de groep samenwerkende bedrijven.

Wanneer aan deze voorwaarden niet is voldaan, is het twijfelachtig of de samenwerking een succes zal worden. De twee cases hebben laten zien dat multipartnersamenwerking op verschillende manieren kan worden vormgegeven en ingezet. Aandacht voor zowel control als trust is daarbij noodzakelijk.

Noten

1   Op basis van Dyer en Nobeoka, 2000; Garcia-Canal et al., 2003; Gomes-Casseres en
    Bamford, 2001
2   NRC Handelsblad, 2006

8
De dynamiek van trust en control

In dit hoofdstuk wordt ingegaan op de wijze waarop besturen door middel van trust en control in allianties moet worden toegepast. Control en trust zijn in verschillende omstandigheden toepasbaar. Ook wordt aandacht besteed aan wijzigingen in alliantiebestuur. De conclusie is dat een gezonde alliantie bestuurlijke wijzigingen zal ondergaan en dat bedrijven een juiste en tijdige aanpassing van de alliantiebesturing moeten waarborgen.

8.1 Control en/of trust?

In de Senseo case zijn zowel control- als trustelementen goed ingevuld. In de KLM-Northwest relatie geldt hetzelfde, zij het dat er in het begin meer aandacht is geweest voor control en er in de loop van de tijd meer invulling is gegeven aan de trustbenadering. De Keerpuntrelatie tussen Nationale-Nederlanden en Fortis neigt meer naar control. Bij de Talentgroep is het weer anders. In de algemene relatie zitten zowel trust- als controlelementen, maar wanneer eenmaal een joint venture wordt opgezet voor de bouw van een school overheerst het controldenken. De tomatentelers van Prominent bouwen vooral op trust.

Deze feiten overziend, lijkt het onmogelijk een algemene conclusie te trekken over de toepasbaarheid van trust en control in allianties. Het cliché dat beide altijd aanwezig zijn lijkt waar. En dat is het ook. Een relatie die alleen op control is gebaseerd zal net zo min succesvol zijn als een relatie die alleen op trust is gebaseerd. Toch blijkt bij nadere beschouwing dat er wel meer te zeggen is over de mate waarin trust en control moeten worden ingevuld in verschillende omstandigheden.

Daarbij spelen twee hoofdelementen een rol[1]. Ten eerste wordt de keuze tussen trust en control bepaald door relationele onzekerheid en ten tweede door onzekerheid in de business. Relationele onzekerheid verwijst naar de aard van de relatie tussen de partijen. Er zijn enkele omstandigheden waaronder de relationele onzekerheid groter is. Wanneer de samenwerkingspartners onbekend met elkaar zijn, is de onzekerheid over het gedrag van de partner groter dan wanneer partijen al eerder met elkaar hebben samengewerkt. Ook wanneer zij concurrenten van elkaar zijn of uit een andere industrietak komen, is er meer onzekerheid over de partner. Hetzelfde geldt wanneer de cultuurverschillen tussen partners groot zijn. Tenslotte kan er meer onzekerheid in de relatie zitten wanneer het belang dat de ene partner aan de alliantie hecht veel groter is dan het belang dat een andere partner eraan hecht. In al deze gevallen is het gedrag van een partner minder goed te voorspellen.

Relationele onzekerheid vraagt om control van de partner. Omdat het niet duidelijk is welk gedrag een partner zal vertonen en of hij opportunistisch zal handelen, worden bij een hogere relationele onzekerheid uitgebreidere afspraken gemaakt. Daarbij vindt zowel control plaats op het proces, onder andere door afspraken over besluitvormingsprocedures, als op de doelen. In een alliantie kunnen dus mechanismen worden ingebouwd om de onzekerheid rondom het gedrag van een partner te reduceren.

Naast relationele onzekerheid speelt ook onzekerheid in de business een rol. Deze is groter naarmate een markt onzeker is, de concurrentie heviger is, regelgeving sneller wisselt en er sprake is van een innovatieve business. Deze elementen maken het moeilijker voor alliantiepartners om te voorspellen hoe de alliantie zich zal ontwikkelen. Anders dan bij relationele onzekerheid is deze onzekerheid niet (of in veel mindere mate) te reduceren. Zij ligt immers buiten de alliantiepartners. Onzekerheid in de business vraagt daarom om trust. Zij maakt het onmogelijk om de controlbenadering toe te passen. Het is immers niet mogelijk van tevoren regels te specificeren voor onvoorziene omstandigheden. Het is veel belangrijker om elementen uit de trustbenadering in te vullen zoals een gezamenlijke visie en de opbouw van relaties waarop kan worden vertrouwd in onzekere tijden. Afhankelijk van de mate van relationele en business onzekerheid ligt er dus meer nadruk op control of op trust.

Figuur 8.1 geeft weer hoe de relatie ligt. Zowel de relationele als business onzekerheid kan hoog of laag zijn. Dit leidt tot vier mogelijke kwadranten. Bij elk kwadrant hoort een andere control- en trustbenadering. Het is dus niet zo dat elke relatie toe moet werken naar een gelijke toepassing van trust en control. Soms is meer nadruk op control beter; soms moet de nadruk liggen op trust.

Wanneer er zowel sprake is van hoge onzekerheid in de business als in de relatie, dan zal bij het aangaan van een alliantie zowel aandacht worden besteed aan de controlbenadering als aan de trustbenadering. Dit geldt voor de Senseo-alliantie, voor KLM-Northwest en voor de Talentgroep. Elk van deze allianties had in het begin een hoge relationele onzekerheid, omdat er werd samengewerkt met nieuwe partners, die ook nog uit andere sectoren afkomstig zijn (Senseo, Talentgroep) of omdat er werd samengewerkt met een concurrent (KLM-Northwest). Voor Senseo was de onzekerheid in de business hoog omdat er geen garantie was dat de introductie van een nieuw koffieconcept een succes zou worden. Talentgroep introduceerde ook een nieuw concept in de markt waarvan het slagen niet

Figuur 8.1:   Control, trust en onzekerheid bij het aangaan van een nieuwe alliantie

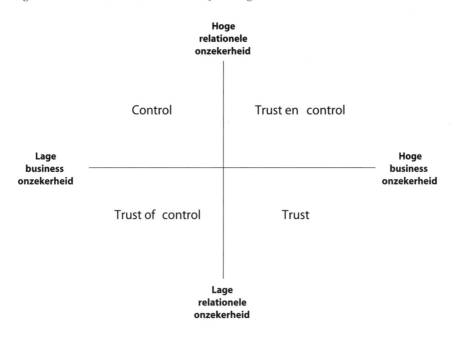

zeker was. De oprichting van de marketingwerkgroep die later plaatsvond, geeft al aan dat de markt nog moet worden ontwikkeld. Voor KLM-Northwest was de onzekerheid ook hoog. Malaise in de luchtvaart, veranderende regelgeving en grote concurrentie zijn daar de oorzaak van. Initieel werd ook gedacht dat vooral aan de vrachtkant interessante business in de alliantie te ontwikkelen viel. Achteraf bleek het vooral aan de passagekant te zijn. Onzekerheid alom dus. Om dit te managen moet een combinatie van control- en trusttechnieken worden ingezet.

Wanneer de onzekerheid in de business hoog is, maar de relationele onzekerheid laag, is trust de geëigende besturingsbenadering. De trustbenadering is mogelijk omdat de partners elkaar al kennen en nodig om onzekerheid in de bedrijfsomgeving het hoofd te bieden. Prominent is hier een voorbeeld van. Prominent richt zich voor een groot deel op innovatie, waarmee belangrijke onzekerheden gepaard gaan. Tegelijkertijd is de relationele onzekerheid laag, omdat de partners elkaar kennen en omdat de alliantie voortbouwt op de West-landse samenwerkingscultuur.

Bij een hoge relationele onzekerheid en een lage business onzekerheid is een con-trolbenadering de beste oplossing. Door de lage business onzekerheid is control mogelijk: er kunnen doelen worden gesteld, heldere procedures worden afge-sproken en de voortgang van de alliantie kan worden afgemeten aan van tevoren bepaalde indicatoren. Daarnaast is control ook wenselijk, gezien de relationele

onzekerheid. Keerpunt komt hierbij dicht in de buurt. De relationele onzekerheid van samenwerking met een concurrent is hoog. Waar het de business betreft,
is wel ongeveer duidelijk wat samenwerking kan opleveren, al levert de ontwikkeling van een nieuw concept van re-integratie wel weer nieuwe onzekerheid op.
Er ligt in Keerpunt relatief veel nadruk op controlmechanismen.

In het kwadrant linksonder hebben bedrijven de keuze tussen de toepassing
van een control- of een trustbenadering. In het algemeen gaat het hier om eenvoudiger relaties. Door de lage onzekerheid in de business zijn de voordelen
van samenwerking voor de partners helder aan te geven, waardoor iedereen
op hetzelfde doel gericht is. Bovendien is de relationele onzekerheid laag, dus
is er ook geen noodzaak tot control. Dit kan een overweging zijn om voort te
bouwen de trustbenadering: de doelen zullen toch wel gerealiseerd worden
dus is een sterke control niet nodig. Een andere redenering is dat het feit dat de
opbrengsten helder zijn, het mogelijk maakt om een strakke planning voor de
alliantie te maken. Wanneer het eenvoudig te managen is op die manier, lijkt
het onverstandig om dat niet te doen. Control is hier dus ook een goede oplossing. De uiteindelijke keuze zal hier afhangen van de kosten van control en de
omvang van de samenwerking. Hoe makkelijker control is te realiseren en hoe
groter de samenwerking, des te eerder wordt gekozen voor control. De joint
ventures die Talentgroep opzet wanneer de bouw van een school is aanbesteed,
zijn hier een voorbeeld van. De relationele onzekerheid is laag omdat de samenwerkingspartners elkaar al kennen; de business onzekerheid is beperkt want de
kernvariabelen die opbrengsten en kosten bepalen zijn bekend; de belangen zijn
groot. Een vergaande vorm van control wordt daarom ingevoerd. Bij zowel lage
business onzekerheid als lage relationele onzekerheid is de richtlijn dus:
• kies voor trust wanneer de belangen gering zijn en de kosten van control
  hoog;
• kies voor control wanneer de belangen groot zijn en de kosten van control
  laag.

8.2   Hoe kunnen trust en control worden gecombineerd?

Figuur 8.2 geeft weer hoe de cases in het schema passen. Daarbij is de situatie
geschetst in de startpositie, dus bij het aangaan van de alliantie. In de loop van
de tijd kan de situatie verschuiven (zie hiervoor de bespreking rondom figuur
8.3). Het rechterbovenvlak roept de vraag op hoe trust en control samen kunnen
gaan. De cases tonen drie manieren om trust en control te combineren:

1. Gelijktijdige toepassing, maar met mate: control en trust 'light'. Aandacht
voor controlvraagstukken kan leiden tot trust. Hoe meer helder wordt gemaakt
in een relatie, hoe meer vertrouwen partners in elkaar en in de business kunnen
krijgen. De heldere afspraken in de virtuele joint venture van KLM en Northwest
droegen ertoe bij dat na een crisis in de relatie toch de draad weer kon worden

Figuur 8.2:   Startposities van de cases in het control, trust en onzekerheid raamwerk

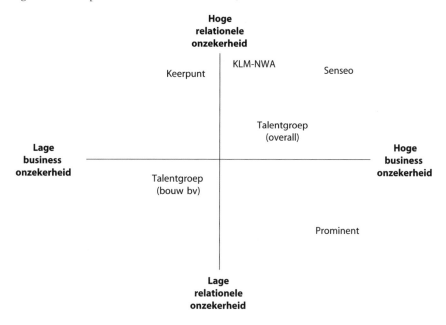

opgepakt. Trust kan ook leiden tot meer control. Hoe meer vertrouwen, hoe meer ook de bereidheid toeneemt elkaar op allerlei vlak helderheid te verschaffen. Het duidelijkste voorbeeld van gelijktijdige toepassing is te vinden in de Senseo-alliantie van Philips en Sara Lee. Belangrijk bij gelijktijdige toepassing is om maat te houden. In de Senseo-alliantie zijn wel aspecten van de controlbenadering toegepast, maar niet zo vergaand als bijvoorbeeld in de joint ventures van Talentgroep. De aard van control is in de vier kwadranten van figuur 8.2 anders. Rechtsboven is vooral sprake van strategische control. Er worden afspraken gemaakt over de visie en richting van de alliantie. In het linker deel van de figuur gaat het meer om operationele control. Daar wordt veel gedetailleerder gestuurd op basis van regels. Senseo maakt ook gebruik van de trustbenadering, maar niet in die mate als Prominent dat doet. Zowel control als trust worden toegepast in een 'light'-variant.

2. Separatie. De gebieden waarop trust en control plaatsvinden kunnen van elkaar worden gescheiden. Op het ene gebied van de alliantie wordt dan meer op trust gemanaged, op het andere gebied op control. Dit doet zich voor bij de Talentgroep. De algemene alliantie heeft meer trustelementen; per joint venture ligt de nadruk sterk op control. Door te differentiëren naar onderwerp kunnen in één relatie de verschillende benaderingen naast elkaar bestaan. Partners moeten zich dus afvragen waar ze echt control op willen hebben.

3. Start met de ene benadering en geleidelijke invoering van de andere. De relatie tussen KLM en Northwest is hier een voorbeeld van. Deze relatie had de control-component wat zwaarder aangezet in het begin. Naarmate de relatie verbeterde na de Enhanced Alliance Agreement ging de trustbenadering een steeds grotere rol spelen. Deze ontwikkeling kan bewust worden toegepast, maar meestal zal het onbewust gebeuren dat gaandeweg de controlelementen wat losser worden toegepast of dat de samenwerking zich uitbreidt zonder dat de control navenant toeneemt.

8.3   Dynamiek in alliantiebestuur

Het gebeurt zelden dat een eenmaal ingevoerd besturingssysteem niet wordt aangepast. In het algemeen is er sprake van dynamiek in allianties. In figuur 8.3 geven de pijlen de richting aan waarin de cases zich bewegen. Voor alle cases geldt dat de relationele onzekerheid afneemt. Partijen leren elkaar immers beter kennen. Vertrouwen neemt toe. De business onzekerheid neemt niet voor iedereen af. Dit heeft verschillende oorzaken. Voor Keerpunt is duidelijk dat de nieuwe methode van re-integratie vruchten afwerpt en door de markt wordt geaccepteerd. Er komt echter nieuwe business onzekerheid bij door verdergaande veranderingen in het sociale stelsel. Voor Prominent neemt de onzekerheid op veel terreinen ook af, maar Prominent zoekt dan weer nieuwe innovatieve ideeën op die weer nieuwe onzekerheid met zich meebrengen. Een voorbeeld is het experiment met de gesloten kas.

Figuur 8.3: Veranderingen in onzekerheid in de cases

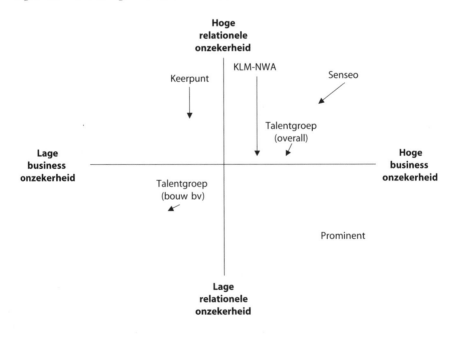

Een eenmaal vormgegeven bestuurssysteem is door deze dynamiek zelden stabiel. Tabel 8.1 geeft enkele in het oog lopende veranderingen weer in de cases. In theorie is het mogelijk dat een alliantie van het ene naar het andere kwadrant beweegt in figuur 8.3. Bij een sterke toenemende relationele en business onzekerheid zal een ander besturingsmodel nodig zijn. In de bestudeerde cases heeft zich dit niet in die mate voorgedaan. De grootste beweging op dit vlak is bij KLM waar de onzekerheid omtrent de partner afnam en de business implicaties in de loop van de tijd duidelijker werden. Daardoor namen de trustelementen toe. Er blijft echter sprake van een trust- en controlmodel.

Tabel 8.1: Voorbeelden van dynamiek in besturing

Case	Dynamiek in besturing
Senseo	Continue wederzijdse aanpassing Creëren Senseo line of business in Philips
KLM-NWA	Opzet van Network Group en Passenger Group Opzetten Joint Venture Operating Committee Overgang naar Enhanced Alliance Agreement
Keerpunt	Wisseling van aandeelhouder Omzetting naar BV
Talentgroep	Vertrek van een partner Uitbreiding stuurgroep/marketing werkgroep Opzet BV voor scholenbouw
Prominent	Opzet BV's Toe- en uittreden partners Uitbreiding van de verplichtingen

Ook uit ander onderzoek blijkt dat er frequent veranderingen in de besturing van allianties optreden. Onderzoek onder 145 allianties liet zien dat in 44% van de allianties zich veranderingen in de besturing hadden voorgedaan[2]. Daarbij werd alleen gekeken naar aanpassingen in contracten, veranderingen in de board of commissie die op de alliantie toeziet en de introductie of formalisering van monitoringsmechanismen. De informele wijzigingen zijn dus niet meegeteld, terwijl deze naarmate een alliantie langer loopt juist in belang toenemen. Het is bekend dat naarmate er meer vertrouwen tussen partners wordt opgebouwd, zij minder gebruik maken van formele besturingsmechanismen[3]. Dat wijzigingen in de besturing zich frequent voordoen blijkt ook in de alliantie tussen Bayer en Millennium. Tussen 1998 en 2003 werkten deze partijen samen aan onderzoek en ontwikkeling van nieuwe medicijnen. In die tijd werd het contract zes keer aangepast[4]. Daarnaast waren er veranderingen die niet contractueel werden vastgelegd, zoals een uitbreiding van het werkgebied van de alliantie.

8.4 Oorzaken van dynamiek

Dynamiek kent verschillende oorzaken. De belangrijkste zijn externe oorzaken, interne veranderingen in partners, relatie-opbouw, succes of falen van de business, spanningsvelden die inherent zijn aan allianties en de aard van de alliantie.

Externe oorzaken
Externe veranderingen zijn een bron van business onzekerheid die kunnen leiden tot veranderingen in de besturing van allianties. Sociale, economische, politieke en technologische factoren zijn continu in beweging en kunnen een impact hebben op allianties. Een deels sociale en deels politieke factor is het denken over duurzaamheid, dat voor Prominent aanleiding vormt om te gaan experimenteren met nieuwe kassen, die CO_2 uitstoot verminderen. Nieuwe technologie op het gebied van kassen speelde daarbij ook een rol. Economische en politieke factoren hebben vooral een impact in de KLM-Northwest relatie. Overcapaciteit, liberalisering en antitrustbeleid zijn factoren die veranderingen in de besturing van de alliantie nodig maakten. Keerpunt heeft vooral moeten inspelen op politieke onzekerheid: verandering in de regelgeving leidde tot een wisseling van aandeelhouder. Bij de Talentgroep speelden economische factoren een rol. Daar bleken de klanten nog te moeten worden geïnformeerd over het nieuwe concept, zodat een marketingwerkgroep noodzakelijk was. Juist omdat allianties vooral populair zijn vanwege de turbulentie in de bedrijfsomgeving, vormt die bedrijfsomgeving een bron van dynamiek voor hen.

Oorzaken in één van de partners
De oorzaak van dynamiek kan in één van de partners liggen. De strategische fit tussen partners en veranderingen daarin vormen een belangrijke aanleiding voor veranderingen in het bestuur van allianties. Interne reorganisaties en directiewisselingen hebben een zelfde effect. 'De wisseling aan de top bij ons en snel daarna bij onze partner, was goed voor onze alliantie. Er was op zich niets mis met onze topmensen, maar er was te veel historie tussen hen. Problemen kwamen daardoor niet meer tot een oplossing. Met de nieuwe top kreeg de samenwerking een nieuwe impuls', aldus één van de geïnterviewde managers over een alliantie die in zwaar weer terecht was gekomen.

Succes en falen
Verandering kan ook veroorzaakt worden door succes of falen van de alliantie in de markt. Wanneer partners elkaar beter leren kennen, ontdekken ze vaak extra mogelijkheden om van de samenwerking te profiteren. Een succesvolle samenwerking kan worden geïntensiveerd. De KLM-Northwest case en Prominent laten dit duidelijk zien. Het grote succes van de samenwerking tussen KLM en Northwest leidde tot een verdere intensivering van de samenwerking. Een dergelijke grotere complexiteit vraagt vaak om een intensievere besturing van allianties[5].

Relatie-opbouw
De opbouw van een relatie kan twee effecten hebben op alliantiebesturing. Het eerste effect is hierboven al besproken: naarmate partners elkaar beter leren kennen, passen ze minder controlmechanismen toe. Het tweede effect is dat een goede relatie ook kan leiden tot uitbreiding van de samenwerking op andere gebieden. Dit vraagt dan soms juist om uitbreiding van het aantal controlmechanismen. Prominent zette nieuwe BV's op nadat samenwerking succesvol was gebleken. Dat vroeg om de invoering van nieuwe controlmechanismen. In het algemeen lijkt er dus meer gebruik van trust te worden gemaakt wanneer een relatie langer loopt, mits de alliantie zich niet uitbreidt naar andere gebieden.

Spanningsvelden inherent aan allianties
Allianties balanceren tussen verschillende krachten. Wanneer de balans te veel doorslaat in één richting, kan aanpassing van de besturingsstructuur noodzakelijk zijn. De belangrijkste spanningsvelden in allianties zijn weergegeven in figuur 8.4.

Figuur 8.4: Spanningsvelden in allianties[6]

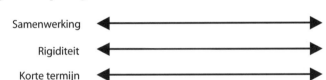

Samenwerking	Concurrentie
Rigiditeit	Flexibiliteit
Korte termijn	Lange termijn
Behoud	Vernieuwing
Grip	Autonomie

Het spanningsveld tussen samenwerking en concurrentie is aanwezig in alle allianties. Met een partner moet worden samengewerkt, maar er is tegelijkertijd altijd een vorm van concurrentie aanwezig rondom de vraag hoe de opbrengsten worden verdeeld. De afweging tussen eigenbelang en gezamenlijk belang is lastig. Bij Prominent waren er enkele leden die met het aanscherpen van de verplichtingen binnen de samenwerking, de afweging maakten dat hun eigenbelang daardoor te veel werd geschaad. Zij verlieten dus de samenwerking.

Ook het treffen van de juiste balans tussen rigiditeit en flexibiliteit stelt de partners voor uitdagingen. Organisaties zijn vrij rigide, markten zijn flexibel, de alliantie dient zich ergens daartussen in te bewegen. Het verzoenen van deze twee elementen is niet eenvoudig en het risico bestaat dat er te veel wordt doorgeschoten in één richting. Het spanningsveld tussen rigiditeit en flexibiliteit is terug te vinden in de afweging die Prominent moest maken ten aanzien van het niveau van vrijblijvendheid van de samenwerking.

De afweging tussen de korte en lange termijn is in het bijzonder lastig voor allianties omdat de partners niet noodzakelijk dezelfde tijdhorizon hebben en omdat de levensduur van een alliantie meestal onduidelijk is. In een langlopende samenwerking zijn andere dingen mogelijk dan in een kortlopende. Van tevoren is echter niet altijd duidelijk hoe lang een alliantie zal bestaan. Het spannings-veld tussen korte en lange termijn deed zich voor in de Talentgroep. Het vertrek van Barclays als partner had duidelijk als achtergrond dat de tijdshorizon van Barclays veel korter was dan die van de overige partners.

Het spanningsveld tussen behoud en vernieuwing is vooral relevant ten aan-zien van de alliantiestaf. Verloop van alliantiepersoneel kan goed zijn voor ver-nieuwing, maar te veel verloop ondermijnt de stabiliteit van een partnership. Dit is met name van belang voor allianties omdat het enige tijd duurt voordat alliantiepersoneel de partner goed heeft leren kennen. De opstartkosten bij een nieuwe baan in een alliantie zijn hoger dan bij een interne overplaatsing. De wisselingen in de Raad van Commissarissen van Keerpunt betekenden dat daar steeds opnieuw een relatie moest worden opgebouwd.

Grip op de partner versus het respecteren van zijn autonomie is het laatste span-ningsveld. Het slagen van een alliantie hangt af van de autonomie van partners en tegelijkertijd van de grip die zij op elkaar hebben. Autonomie is nodig om optimaal te profiteren van de kennis en vaardigheden van partners, maar grip is nodig om deze op de juiste manier bij elkaar te brengen. De oplossing bij Sen-seo was om partners autonoom te laten op hun eigen kennisgebied, maar goede afspraken te maken over die zaken waar ze van elkaar afhankelijk waren.

Aard van de alliantie
Sommige soorten allianties hebben vaker aanpassingen nodig in de besturing dan andere. Aanpassing komt eerder voor in allianties met een brede scope, een minder duidelijke arbeidsdeling, een grote relevantie voor de partners en met een grote kans op verbreding in het werkgebied van de alliantie[7]. Vandaar ook dat wijzigingen in het bestuur van KLM-Northwest vaker voorkomen en ingrijpender zijn, dan die in het geval van de Keerpunt joint venture. De scope en relevantie van de KLM-Northwest alliantie is voor de partners veel groter dan bij Keerpunt. Er zijn veel meer raakvlakken tussen de partners, waardoor er meer afstemming nodig is en er dus sneller gekeken wordt naar aanpassing in de besturing.

8.5 Omgaan met dynamiek: wederzijdse aanpassing en continue onderhandeling

Er zijn verschillende manieren waarop in allianties met dynamiek kan worden omgegaan. Allereerst blijkt uit de cases dat veel van de benodigde verandering informeel wordt opgelost via twee mechanismen: wederzijdse aanpassing en con-tinue onderhandeling. Veel wijzigingen in alliantiebestuur hebben uitsluitend een informele component. Zij berusten op mondelinge afspraken die door onderhandeling tot stand komen. Daarbij moeten beide partijen geven en nemen. Alleen substantiële wijzigingen worden formeel vastgelegd. Deze formele veranderingen in alliantiebestuur zijn meestal de bekrachtiging van een informeel proces dat aan de aanpassingen vooraf gaat. Met enige regelmaat worden veranderingen die in de praktijk al hebben plaatsgevonden, achteraf bekrachtigd. Dit was zo bij de enhanced alliance agreement tussen KLM en Northwest, maar bijvoorbeeld ook bij de uitbreiding van de alliantiebesturing van Talentgroep waar het werkgebied werd verbreed met marketing. Het lijkt ook logisch dat wijzigingen pas achteraf formeel worden bekrachtigd. In veel gevallen moet eerst maar blijken of een wijziging werkt. Om een wijziging eerst op papier te zetten en dan in te voeren is dan de omgekeerde wereld. Blijkt de nieuwe bestuursstructuur niet te werken dan moet het contract weer worden heronderhandeld. Het is dan beter de nieuwe besturing in de praktijk te laten uitkristalliseren.

Of de invoering van de wijziging in het bestuur nu formeel of informeel gebeurt, het is van belang dat het proces goed wordt begeleid. Bedrijven kunnen op verschillende manieren verzekeren dat de besturing van allianties op een correcte en tijdige manier wordt aangepast. Enkele richtlijnen zijn[8]:
* degenen die de alliantie zijn aangegaan opnemen in de alliantie board of stuurgroep. Dit verzekert continuïteit en zorgt ervoor dat veranderingen in de besturing in een strategische context plaatsvinden. Dit laatste is van belang omdat allianties de neiging hebben zich in de loop van de tijd op steeds meer operationele zaken te richten. In alle cases is wel een borging op strategisch niveau te vinden. Dit kan worden gerealiseerd door de CEO's in elkaars board te laten plaatsnemen (KLM-NWA), senior management in een Raad van Commissarissen op te nemen (Keerpunt) of anderszins topmanagementoverleg tot stand te brengen (Senseo, Talentgroep). In Prominent is het lijntje kort: de regelmatige ledenvergadering vervult deze rol.
* vroegtijdig instellen van een formele alliantiefunctie met managers vanuit de partners. Hier kan tijdig overleg plaatsvinden, waardoor aanpassingen makkelijker verlopen dan wanneer de verantwoordelijkheid voor een alliantie niet eenduidig is belegd. De alliantiemanagementafdelingen van KLM en Northwest zijn hier een voorbeeld van. De Senseo line of business heeft binnen Philips de verantwoordelijkheid eenduidig belegd, evenals de afdelingen die in de partners van de Talentgroep zijn ontstaan om de nieuwe vormen van samenwerking te managen.
* inbouwen van mechanismen om tijdige aanpassing te verzekeren. In de cases was verandering van alliantiebestuur in sommige gevallen wel en in andere gevallen niet voorzien. Door al bij het aangaan van de samenwerking een regelmatige evaluatie van de bestuursstructuur af te spreken, kan worden voorkomen dat de besturing niet tijdig wordt vernieuwd. Bovendien maakt een dergelijke afspraak het makkelijker een besturingsprobleem aan te kaarten. Juist vanwege de frequente aanpassingen die inherent zijn aan allianties, moet herstructurering worden geïnstitutionaliseerd. Een alliantie die stabiel is, zal in veel gevallen zijn functie als mechanisme om om te gaan met een turbulente omgeving niet waar maken.

Bij dit alles moeten managers er voor waken de besturing niet nodeloos te compliceren. Wanneer zich een nieuw probleem aandient dat bestuurd moet worden, hebben bedrijven vaak de neiging daar een aparte laag of groep voor in het leven te roepen. Het is echter beter de samenstelling van de alliantieboard te veranderen dan om een extra laag in te bouwen[9]. Invoering van te veel lagen en groepen kan leiden tot een wildgroei aan overlegorganen. Het kan nodig zijn om een extra groep op te zetten om operationele werkzaamheden uit te voeren, maar het is dan het beste die ook te laten rapporteren aan een al bestaand bestuursorgaan. Dit bestuursorgaan kan dan worden uitgebreid of van samenstelling worden veranderd om ook in de nieuwe situatie effectief te kunnen zijn. De marketing werkgroep van Talentgroep was nodig, maar rapporteert aan de bestaande stuurgroep die werd uitgebreid met een aantal extra leden.

8.6   Wanneer is aanpassing van besturing nodig?

Om een indicatie te krijgen of de alliantiebesturing moet worden aangepast kunnen samenwerkingspartners zich de volgende vragen stellen[10]:
- Is de structuur te zwaar of te licht voor de alliantie?
- Zijn we als partijen veel afhankelijker van elkaar geworden dan in het begin?
- Hebben we een simpel contract, zodat het logisch lijkt dat we na verloop van tijd dat contract moeten aanpassen?
- Hebben zich veranderingen in de omgeving voor gedaan die van belang zijn voor de alliantie?
- Hebben zich veranderingen voor gedaan in de strategie van één van de partners die van belang zijn voor de samenwerking?
- Is de alliantie te ver doorgeschoten richting control of trust?
- Zijn er veel communicatieproblemen geweest?
- Is de besluitvorming te traag verlopen of zijn er juist te snel besluiten genomen?
- Klaagt de alliantiemanager over gebrek aan control op de relatie of over te veel control van de alliance board op zijn werk?
- Zijn er veel persoonswisselingen geweest zodat hernieuwde aandacht voor relatieopbouw nodig is?

Het belang van het laatste punt komt ook in de cases naar voren. Personele wijzingen komen binnen bedrijven al veel voor, dus wanneer twee bedrijven een alliantie bemannen is er niet veel stabiliteit in de bezetting te verwachten. Dit heeft een aantal negatieve effecten op allianties. Ten eerste betekent het een terugval in relatie-opbouw. Gelet op het eerder geconstateerde belang van persoonlijke relaties houdt dit een risico in. Alliantiemanagers zullen maar weer moeten zien of ze goed samen kunnen werken en of de communicatie optimaal blijft. Nog afgezien van de persoonlijke chemie, is de managementstijl een tweede factor. Sommige personen managen meer naar de geest van de afspraken en anderen naar de letter. Dit verschil heeft een belangrijke impact op de manier waarop de alliantie wordt aangestuurd. Een derde element is dat een snelle doorstroming van managers inhoudt dat er sprake is van geheugenverlies in de alliantie. Kennisopbouw kan te lijden hebben onder snelle doorstroming van personeel. Dit opent een mogelijkheid voor bedrijven om meer uit een alliantie te halen dan de partner. Met een stabielere bezetting van de alliantie kan meer geleerd worden. Verandering van alliantiemanager is dus een kritiek moment in de besturing van allianties.

De aandacht voor de opbouw van relaties die in een aantal cases naar voren komt, is daarmee logisch verklaarbaar. De informele bijeenkomsten (Prominent), informele gedeelten na formele bijeenkomsten (KLM-Northwest) en formele bijeenkomsten over informele aspecten (de cultuursessie van Philips en Sara Lee/DE) helpen bij de besturing van de samenwerkingsverbanden. Door de relatie en het begrip die daar worden opgebouwd, kunnen veel kleinere problemen op een informele manier opgelost worden en kunnen grotere problemen open met elkaar worden besproken.

8.7 Samenvatting

Samenvattend geldt dat als gevolg van de dynamiek die inherent is aan allianties, veranderingen in de besturing een veel voorkomend verschijnsel zijn. Deze veranderingen kunnen diverse aanleidingen hebben en op veel verschillende manieren worden opgelost. Continue onderhandeling en wederzijdse aanpassing zijn echter altijd aanwezig. Goed alliantiebestuur vraagt niet om een blauwdruk die eenmalig wordt ingevoerd. Het houdt daarentegen in dat de besturing regelmatig wordt verfijnd en aangepast aan gewijzigde omstandigheden. Samenwerkingspartners kunnen hiermee rekening houden door bij de opzet van een alliantie een proces af te spreken dat bestuurlijke wijzigingen borgt.

Noten

1 Das en Teng, 1998
2 Reuer et al., 2002
3 Gulati, 1995; Inkpen en Currall, 2004
4 Ziegelbauer en Farquhar, 2004
5 Bamford et al., 2003
6 Mede gebaseerd op Das en Teng (2000) en De Rond en Bouchikhi (2004)
7 Reuer en Zollo, 2000
8 Roussel, 1998; Ernst en Bamford, 2005
9 Roussel, 1998
10 Deels gebaseerd op Ariño en Reuer, 2004

9
Eerst het eigen huis op orde

Een interessant aspect dat uit de cases te voorschijn komt, is dat een goed alliantiebestuur ook aanpassingen vergt aan de interne organisatie van de partners. Philips creëerde een aparte unit voor Senseo om een eenduidige aansturing te garanderen. KLM heeft een afdeling op centraal niveau die de alliantie met Northwest ondersteunt. Ook de afrekening van de KLM-medewerkers is aangepast om hun de juiste incentives te geven voor de alliantie. De partners in de Talentgroep hebben hun kennis over samenwerkingsprojecten ook gebundeld in aparte afdelingen.

In al deze gevallen gaat het om het leerstuk van alliantievaardigheid van de organisatie. Hoe zorgt een organisatie ervoor dat zij in staat is allianties succesvol te besturen? Ervaring met en kennis van samenwerking is één van de belangrijkste succesfactoren voor allianties. Alliantiemanagement heeft zich ontwikkeld tot een vak met eigen managementtechnieken.

Om goed in allianties te kunnen functioneren is vaak decentralisatie van bevoegdheden nodig. Tegelijkertijd is er een behoefte aan interne control op allianties, al is het alleen maar om te voldoen aan de huidige compliance-manie die de regelgevers in zijn greep heeft. De verminderde control die het gevolg is van decentralisatie kan op vier manieren worden opgevangen: door het invoeren van de juiste processen voor alliantievorming, door het opzetten van een alliantiemanagementafdeling, door de ontwikkeling van samenwerkingscompetenties van werknemers en door bedrijfscultuur en managementstijl toe te snijden op allianties.

9.1 Processen voor alliantiemanagement

Een belangrijk element dat ervoor zorgt dat allianties verknoopt zijn met de doelstelling van een onderneming is de invoering van een goed proces om allianties op te zetten. Het basisproces hierbij is de alliantielevenscyclus (figuur 9.1). Hoewel de levenscyclus breder is dan alleen de besturingsvraag, is hij van belang voor alliantiebestuur omdat een correcte toepassing van dit proces bijdraagt aan het verminderen van besturingsproblemen. In de figuur zijn daarom per fase van de levenscyclus belangrijke besturingselementen aangegeven.

Figuur 9.1: Besturingsaspecten van de alliantielevenscyclus

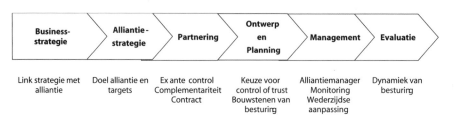

Business-strategie	Alliantie-strategie	Partnering	Ontwerp en Planning	Management	Evaluatie
Link strategie met alliantie	Doel alliantie en targets	Ex ante control Complementariteit Contract	Keuze voor control of trust Bouwstenen van besturing	Alliantiemanager Monitoring Wederzijdse aanpassing	Dynamiek van besturing

In levenscyclus kunnen zes stappen worden onderscheiden. De eerste stap is het vaststellen van de business- of ondernemingsstrategie. Alleen wanneer duidelijk is welke doelen een bedrijf heeft en welke competenties het daarvoor intern wil ontwikkelen en welke niet, kan de vraag worden beantwoord welke allianties het nodig heeft. Eén van de meest gemaakte fouten is dat bedrijven gaan samenwerken zonder te doordenken hoe samenwerking kan bijdragen aan de door het bedrijf nagestreefde doelen. De eerste besturingsvraag die moet worden beantwoord is dus hoe een alliantie verbonden is met de ondernemingsstrategie. Bij KLM-Northwest is die verankering duidelijk aanwijsbaar. De 'hub and spoke' strategie is de achtergrond van dit samenwerkingsverband.

Wanneer de strategie helder is, kan de alliantiestrategie worden ontwikkeld. Hierbij komen vragen aan de orde naar het vereiste aantal partners, het type relatie dat met hen nodig is (een losse, flexibele relatie of een langdurige, stabiele relatie), de benodigde exclusiviteit in het samenwerkingsverband en het type partners. De ideale alliantieportfolio wordt hierbij in kaart gebracht. Ook wordt in deze fase het precieze doel van de alliantie bepaald, waar vervolgens de te halen targets van kunnen worden afgeleid. In Keerpunt is dit terug te vinden in de specifieke doelstelling dat Keerpunt zich moet richten op schadelastbeheersing.

Wanneer duidelijk is welk type partners het bedrijf nodig heeft, kan de fase van partnering worden ingegaan. Deze fase kent een aantal subfasen: het zoeken naar mogelijke partners, selecteren van een partner, onderhandelen van een contract en gezamenlijke business planning. Hierbij moet worden onderzocht in welke mate een partner beschikt over de juiste complementaire competenties, of de partner qua strategie, organisatie en cultuur past bij de eigen organisatie en of de partner een succesvol verleden van alliantievorming heeft. In toenemende mate wordt het van belang om ook de netwerkfit van een partner te bepalen: levert deze partner geen conflict met het bestaande netwerk van het bedrijf, zijn er geen conflicterende belangen met de partner's partners of zijn er juist extra mogelijkheden tot synergie met het alliantieportfolio van de partner? De partneringfase wordt gewoonlijk afgesloten met het sluiten van een contract en overeenstemming over een gezamenlijk business plan voor de alliantie. In deze fase is de partnerkeuze relevant als ex ante controlmechanisme: door een partner te zoeken met de juiste fit wordt een alliantie makkelijker te besturen.

In de Talentgroep kwam het belang van partnerselectie duidelijk naar voren: er werd gezocht naar partners met een zelfde marktvisie en met ervaring met nieuwe bouwconcepten. Hoe meer de doelen en werkwijze overeen komen, hoe minder overleg en controlmechanismen nodig zijn in een alliantie. Het contract annex business plan is natuurlijk ook een belangrijk besturingsmechanisme uit deze fase.

Met het business plan wordt eigenlijk al de stap gezet naar de vierde fase van het alliantiemanagementproces: ontwerp en planning. Op basis van de keuze ten aanzien van de benodigde hoeveelheid control en trust, kan invulling worden gegeven aan de overige bouwstenen van alliantiebesturing. Na al dit voorwerk kan een officiële 'launch' een goed middel zijn om anderen in de betrokken organisaties op de hoogte te brengen van het bestaan van de alliantie.

Het dagelijkse management van de alliantie (fase 5) vraagt om een continue monitoring van de voortgang. Regelmatig moet worden gemeten of de alliantie op koers ligt. Andere aspecten in deze fase zijn goede communicatie tussen de partners (bijvoorbeeld te realiseren door de spiegelstructuur zoals ingevoerd voor Senseo), betrokkenheid van het topmanagement op gezette tijden, escalatieprocedures om conflicten snel te kunnen oplossen. Gelet op het belang van gezamenlijke besluitvorming speelt hier ook de houding van alliantiemanagers een rol. Zij moeten naast het belang van hun eigen bedrijf ook dat van hun partner meewegen. Wederzijdse aanpassing is continu van belang en een alliantiemanager moet daarmee om kunnen gaan.

De zesde en laatste fase van het alliantiemanagementproces is de evaluatiefase. Op gezette tijden dient de alliantie door beide partners te worden geëvalueerd. Past de alliantie nog in beider strategie? Heeft zij aan de doelstelling voldaan? Zo nee, waarom niet? Wat loopt er goed en wat minder? Beantwoording van deze vragen kan aanleiding zijn de alliantie ongewijzigd voort te zetten, aan te passen of te beëindigen. Hier komt de dynamiek van alliantiebesturing in het spel, zoals die in hoofdstuk 8 beschreven is.

Dit proces vormt een leidraad bij het aangaan van allianties. De realiteit is echter dat het proces rommeliger verloopt. Zo komen veel allianties voort uit persoonlijke relaties of toevallige ontmoetingen van partners en niet uit een rationele, strategische analyse. Ook in dit soort gevallen blijft het van belang dat beide partners wel de strategische rationale van hun samenwerking onderzoeken en niet direct de ontwerp en planningfase ingaan. Ook in een niet-lineair proces moeten alle elementen van de levenscyclus worden doorlopen. Vanuit besturingsoogpunt is dit van belang omdat alle fasen ertoe bijdragen dat de alliantie beter bestuurbaar wordt. Een tweede observatie is dat verschillende fasen op elkaar van invloed kunnen zijn. Het meest duidelijk is dit bij de evaluatie. Resultaten van een evaluatie kunnen aanleiding zijn het alliantieontwerp aan te passen of het management te veranderen. Het is zelfs mogelijk dat een alliantie zo belangrijk wordt, dat zij mede de strategie van een bedrijf gaat bepalen. De alliantielevenscyclus is dus eerder een circulair proces dan een lineair proces.

Het basisproces van de alliantielevenscyclus kan gekoppeld worden aan interne besturingsprocessen. Bij elke fase kan worden aangegeven wie binnen een organisatie welke verantwoordelijkheid heeft, wie gehoord moet worden voordat een fase kan worden afgesloten en wie bepaalde besluiten mag aftekenen zoals selectie van de partner, vaststellen van het business plan of wijzigen van het contract. Op deze manier wordt niet alleen eenduidigheid van alliantiebestuur gegarandeerd, maar is een organisatie tevens in staat grip te houden op allianties, zelfs wanneer vergaande decentralisatie plaatsvindt. Door aan elke fase een aantal standaardtechnieken of checklists te koppelen die aangeven wat de bestuursaspecten van die fase zijn, kan de alliantielevenscyclus bijdragen aan het verbeteren van het alliantiebestuur.

9.2   Kennisopbouw in een afdeling alliantiemanagement

Er is geen twijfel over dat allianties uiteindelijk in de business moeten worden gemanaged. Het is dan ook geen goede keuze al het alliantiemanagement te centraliseren. Wat wel nuttig kan zijn, is het centraliseren van kennis op dit vlak in een competentiecentrum. Een toenemend aantal bedrijven roept daarom een interne alliantiemanagementafdeling in het leven, die als taak heeft alliantievorming in de business te ondersteunen.

De rol van een dergelijke afdeling bij KLM is al eerder besproken. Ook Philips heeft een dergelijke afdeling in huis, het Alliance Office genaamd. Dit dient als competentie centrum binnen Philips. Het ondersteunt de vorming van allianties in de verschillende productdivisie met kennis, ervaring en tools die voor allianties zijn ontwikkeld. Voor partners die allianties hebben met meerdere Philipsdivisies, de zogenaamde corporate alliances, coördineert het Alliance Office ook de activiteiten; voor de allianties die beperkt blijven tot één productdivisie fungeert het Alliance Office voornamelijk als kenniscentrum.

De rol van het Alliance Office rondom corporate alliances ligt in begeleiding van de hele alliantielevenscyclus en in interne coördinatie binnen Philips. Wanneer alle productdivisies ongecoördineerd met een partner spreken bestaat de kans dat niet alle voordelen uit de alliantie worden gerealiseerd. Ook vermindert de kans op eenduidige afspraken met een partner, wat de besturing van de alliantie bemoeilijkt. Coördinatie is dan ook noodzakelijk om met één mond te spreken in de richting van een partner.

Een ander besturingselement rondom corporate alliances is dat elke corporate alliance wordt gesponsord door een lid van de Raad van Bestuur. Bovendien wordt er een alliantiemanager aangesteld, die het alliantieteam leidt. Dit team is samengesteld uit personen van de verschillende productdivisies die bij de

samenwerking betrokken zijn. Het alliantieteam is in gezamenlijkheid verantwoordelijk voor de prestaties van de alliantie. Corporate alliances kennen dus
deels een standaard bestuursstructuur.

Bij de KLM heeft de afdeling Alliantiemanagement een iets andere rol. De allianties van KLM zijn geringer in aantal, maar per stuk hebben ze een grotere impact
op de organisatie. De betrokkenheid van de afdeling bij individuele allianties
is daardoor intensiever. In Strukton heeft de afdeling die is opgezet om samenwerkingsverbanden te managen weer een iets ander karakter. Daar zijn zowel
kennisaspecten als een aantal operationele zaken in de afdeling ondergebracht.
Er is niet een juist model dat overal kan worden toegepast. Wel geldt dat te veel
decentralisatie betekent dat mogelijkheden tot kennisopbouw rondom allianties
onvoldoende worden benut. Te veel centralisatie beperkt de flexibiliteit en het
aanpassingsvermogen van individuele allianties.

Een alliantiemanagementafdeling heeft een aantal effecten op alliantiebesturing.
Doordat experts helpen een alliantie op te zetten kunnen fouten in de besturing
worden vermeden. Indirect helpt een alliantiemanagementafdeling doordat zij
de alliantievaardigheid van de organisatie verhoogt. Doordat het kennisniveau
over allianties in de organisatie wordt vergroot, zijn medewerkers beter in staat
om te functioneren in een samenwerkingsverband.

Onderzoek laat zien dat bedrijven met een alliantiemanagementafdeling substan-
tieel beter scoren dan bedrijven zonder alliantiemanagementafdeling. Allianties
aangekondigd door een bedrijf zonder zo'n afdeling zagen bij aankondiging hun
beurswaarde stijgen met gemiddeld $20 miljoen en hadden een succespercen-
tage van 49%. Bedrijven met een alliantieafdeling zagen de beurswaarde stijgen
met gemiddeld $75 miljoen en hadden een succespercentage van 63%[1].

9.3 Welke alliantievaardigheden heeft een ondernemer nodig?

Zoals uit de cases duidelijk werd, stellen allianties hoge eisen aan managers.
Zij zijn bedrijven in het klein en ze vragen daarom om algemene managementvaardigheden. Daarnaast kennen allianties de specifieke bestuursproblematiek
zoals geschetst in hoofdstuk 2. Alliantiemanagers werken op het grensvlak van
organisaties en moeten in staat zijn de relatie met de partner goed te houden
en de relatie met de rest van hun eigen organisatie vorm te geven. Bovendien
wordt van hen het vermogen gevraagd zich in andere organisaties in te leven.
Niet iedereen is daartoe in staat. Selectie van alliantiemanagers is daarom een
van de belangrijkste beslissingen die een bedrijf kan nemen op het gebied van
alliantiebesturing.

Gelet op het feit dat allianties zowel formele kennis als informele vaardigheden
nodig hebben, is alliantiemanagement een vak op zich. Steeds meer bedrijven
nemen alliantiemanagement op in hun management development traject. Lei-

ding geven aan een alliantie wordt dan een verplichte stap in een carrière. Als uitvloeisel daarvan ontstaan ook competentieprofielen voor alliantiemanagers. De competentieprofielen geven voor verschillende typen en niveaus van managers aan welke kennis en vaardigheden aanwezig moeten zijn om effectief in een bepaalde functie werkzaam te kunnen zijn[2]. Alliantiemanagers zijn er namelijk in soorten en maten. Figuur 9.2 geeft een overzicht van de taken van managers op verschillende niveaus in een organisatie.

Figuur 9.2: Functies en taken rondom alliantiemanagement

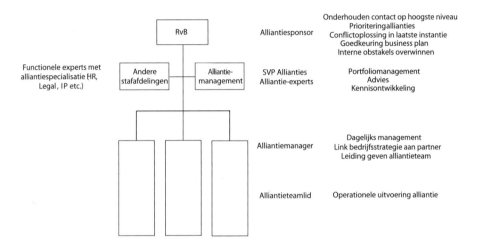

Belangrijke allianties kunnen op het hoogste niveau een sponsor hebben in de Raad van Bestuur. Dit RvB-lid speelt een rol bij het onderhouden van contacten op dit niveau met de partner, maar hij heeft ook een belangrijke interne functie. Omdat allianties veel over functionele gebieden of business units heen gaan, kunnen binnen een organisatie problemen ontstaan met afstemming en besluitvorming. Een lid van de RvB is meestal in staat die obstakels uit de weg te ruimen. Hij kan ook een rol spelen bij het prioriteren van allianties. Wanneer een bedrijf diverse allianties heeft, kunnen er conflicten ontstaan tussen de verschillende partnerships of moet beperkte capaciteit over allianties verdeeld worden. Tenslotte ligt op dit niveau ook de taak om business plannen goed te keuren, voortgang te monitoren en conflicten op te lossen die op een lager niveau niet oplosbaar bleken. Het moge duidelijk zijn dat hier normaal gesproken geen sprake is van een baan die fulltime met allianties kan worden gevuld. Er zijn nog geen Chief Alliance Officers (CAO's). Toch nemen allianties een steeds belangrijker plaats in het takenpakket van Raad van Bestuursleden in. In alle besproken cases speelden hoger management of zelfs Raad van Bestuursleden een rol.

In de alliantieafdeling, die hierboven al uitgebreider is gesproken, kan een senior vice-president alliances aanwezig zijn die met een team van experts zorg draagt voor interne advisering en kennisopbouw. Deze afdeling is vaak ook verantwoordelijk voor portfoliomanagement: het overzien van alle allianties en identificeren van mogelijke conflicten of synergievoordelen tussen hen. Hier betreft het altijd fulltime medewerkers. Daarnaast kan er op corporate niveau behoefte zijn aan input vanuit de traditionele functionele gebieden. Zo ontstaan juristen, marketeers of controllers die een alliantiespecialisatie hebben.

Het uiteindelijke alliantiemanagement vindt plaats in de business. Een alliantiemanager is verantwoordelijk voor de uitvoering en het bewaken van de strategische fit tussen alliantie, eigen bedrijf en partner. Daarnaast is hij de leider van het alliantieteam. In Philips ligt deze rol voor de Senseo bij de vice-president die de aparte Senseo line of business leidt. Tenslotte zijn leden van het alliantieteam belast met de operationele uitvoering. Zij zijn degenen die daadwerkelijk een product ontwikkelen, klanten benaderen samen met de partner of proberen kostenvoordelen te realiseren. In de besproken allianties van KLM, Philips, Talentgroep en Prominent zijn dit de leden van de werkgroepen.

Of de alliantiemanager en het teamlid een fulltime functie in de alliantie hebben, hangt sterk af van de omvang van het samenwerkingsverband. Er zijn zeer grote allianties zoals die tussen HP en Microsoft waarin tientallen mensen fulltime werkzaam zijn. Er zijn echter ook alliantiemanagers die meer dan één alliantie onder hun hoede hebben. In Prominent zijn het geen fulltime banen, maar doen de ondernemers het alliantiewerk naast hun andere werkzaamheden. Het plaatje ziet er anders uit voor joint ventures. Joint ventures hebben immers een eigen directie. De directeur is de alliantiemanager, terwijl senior management van de partners in de Raad van Commissarissen zit.

Ook voor kleinere bedrijven gaat deze structuur niet op. Alle verschillende functies worden daar vaak geconcentreerd in de persoon van de directeur. Prominent lost het probleem dat er verschillende zaken moeten worden gemanaged op door de managementlast over de bedrijven te verdelen. Het bestuur van Prominent vormt gezamenlijk het alliantiemanagement. Waar het alliantievaardigheid betreft zit samenwerking bij Prominent in de genen van de ondernemers. Er is voor Prominent dan ook geen noodzaak om formeel kennis over allianties op te bouwen en te optimaliseren. Het aantal samenwerkingsverbanden is bovendien beperkt, zodat een formele leerfunctie niet veel bij zal dragen aan verhoging van de effectiviteit.

Voor andere bedrijven in het MKB ligt dit vaak anders. Zij erkennen vaak wel de mogelijkheden van samenwerking, maar hechten ofwel aan hun onafhankelijkheid ofwel weten niet hoe ze een samenwerking op moeten zetten. Daardoor zijn zij niet in staat te profiteren van alliantievorming. Voor dit soort organisaties is het binnen halen van samenwerkingsexpertise noodzakelijk, waarbij dit kan gebeuren door consultants in te huren of door gebruik te maken van een organisatie als Syntens, dat door het Ministerie van Economische Zaken in het leven is geroepen om onder andere op dit element het MKB te ondersteunen. Omdat in het MKB de problematiek meestal overzichtelijker is dan in grote bedrijven, zijn de eisen aan de samenwerkingsvaardigheid van MKB'ers ook anders van aard. Afstemmingsproblemen zijn meestal minder groot. De uitdaging ligt meestal op het vlak van de attitude ten opzichte van samenwerking en op gebrek aan kennis over het type afspraken dat gemaakt kan worden.

Omdat elke vorm van bestuur uiteindelijk rust op de wil en de capaciteiten van de mensen die het bestuur vorm geven, moet er aandacht zijn voor het creëren van alliantiefuncties. Allianties houden immers niet op bij de voordeur: zij zijn verbonden met andere organisatieonderdelen. Daarom moeten ook die organisatieonderdelen die niet direct operationeel deel uit maken van een alliantie wel een basisniveau van alliantiekennis hebben.

9.4 Welke cultuur en managementstijl passen bij allianties?

Naast de formele kant van functies en processen, kent de interne organisatie een informele kant die een grote impact kan hebben op het besturen van allianties. Of een organisatie in staat is een alliantie succesvol te besturen hangt ook af van de cultuur en de managementstijl van de organisatie[3]. Niet iedere organisatie heeft de normen en waarden om goed te kunnen samenwerken en niet iedere manager is geschikt om leiding te geven aan een organisatie waarin veel wordt samengewerkt.

Allianties vragen in het bijzonder een omslag in het denken voor lang bestaande organisaties die gewend zijn te werken met de divisionele organisatie. Ingesleten patronen en vaststaande aannames over de wijze waarop zaken dienen te worden gedaan, verhinderen soms dat een dergelijke organisatie allianties adequaat aanstuurt. Jongere organisaties zoals die in de IT-sector zijn opgegroeid met samenwerking en hebben vaak wel een bijbehorende mindset ontwikkeld.

Het is natuurlijk niet zo dat alle grotere organisaties op alle niveaus een alliantie mindset nodig hebben. Het is afhankelijk van de mate waarin allianties voor een bedrijf van belang zijn of zij hun denken en handelen moeten aanpassen. Voor het geval dat dit noodzakelijk is, geeft figuur 9.3 aan hoe alliantiedenken verschilt van 'traditioneel' denken.

Het is altijd moeilijk te definiëren wat een 'mindset' is. Figuur 9.3 probeert aan te geven wat de verschillen zijn tussen een traditionele benadering van organiseren en een mindset die beter past bij allianties. Strategisch gezien is het planningdenken minder geschikt voor allianties dan denken in termen van evolutie. De dynamiek in markten die met een alliantiewereld samenhangt, maakt plannen lastig. De nadruk ligt meer op aanpassen en leren. In de KLM-Northwest relatie was de visie wel duidelijk, maar uiteindelijk lag het succes toch vooral in de aanpassing aan veranderende omstandigheden en de continue zoektocht naar verbeteringen.

Figuur 9.3: Traditionele mindset vs. alliantie mindset

Traditionele mindset		Alliantie mindset
Planning	Strategie	Evolutie
Opgelegd	Aansturing	Zelfcoördinatie
Unilateraal	Machtsuitoefening	Empathie
Bedrijfsgebaseerd	Incentives	Alliantie-gebaseerd
Intern	Optimaliseren	Grensoverschrijdend
Eén tegen één	Concurrentie	Alliantie tegen alliantie
Autonomie	Attitude	Samenwerking

Als gevolg daarvan is top-down, opgelegde aansturing van de organisatie minder van belang dan zelfcoördinatie. Decentralisatie is nodig om allianties effectief te laten functioneren, omdat besluitvorming in een gecentraliseerde organisatie te traag verloopt om met een alliantie in te kunnen spelen op veranderende omstandigheden. Alliantiemanagers moeten ruimte hebben om rechtstreeks met hun tegenhangers bij de partner activiteiten te coördineren. Centrale aansturing vermindert dus in belang. Er komt meer nadruk te liggen op zelfcoördinatie op een lager niveau in de organisatie, zoals bij de wederzijdse aanpassing tussen Douwe Egberts en Philips.

Traditioneel zullen bedrijven vooral hun eigen positie centraal stellen. Macht wordt uitgeoefend in het eigen belang. In een alliantiewereld is dat niet mogelijk. Daarin zal ook rekening moeten worden gehouden met de belangen van anderen. Unilaterale machtsuitoefening wordt vervangen door empathie. Het wordt belangrijk dat leden van een alliantieteam zich in elkaars organisatie kunnen verplaatsen. In de verschillende cases kwam naar voren dat begrip kweken voor de partner essentieel is. Alliantiemanagers hebben als taak om in de eigen organisatie dit begrip voor de partner tot stand te brengen.

In een op zichzelf staande organisatie wordt vooral gekeken naar mogelijkheden het eigen bedrijf te optimaliseren. De incentives voor de medewerkers zijn gebaseerd op het verkrijgen van de grootst mogelijke winst van het eigen bedrijf. Vaak is dit gekoppeld aan een kortetermijnhorizon. Een alliantie mindset vraagt om denken op langere termijn en om het optimaliseren van bedrijfsprocessen over de grenzen van organisaties heen. Daarbij hoort ook een andere afrekenstructuur, die rekening houdt met het feit dat eenzijdige optimalisering niet tot de beste resultaten leidt. In de Talentgroep wordt de alliantiemanager van Strukton primair afgerekend op het slagen van het samenwerkingsverband en niet op zijn bijdrage aan het resultaat van Strukton. Bij KLM gaat het nog verder. Door de gekozen structuur is het onderscheid tussen bedrijfsbelang en alliantiebelang grotendeels verdwenen. De twee lopen bijna naadloos in elkaar over.

De opvattingen over concurrentie veranderen ook. Wordt concurrentie nog vaak gezien als een strijd tussen het ene bedrijf en het andere, in een alliantie mindset wordt er vanuit gegaan dat samenwerkingsverbanden met elkaar concurreren. Naast Prominent zijn er bijvoorbeeld nog andere telersverenigingen actief. KLM-Northwest wordt beconcurreerd door andere luchtvaartallianties. De concurrentiestrijd wordt niet meer gewonnen door zelfstandig de strijd aan te binden. In plaats daarvan zijn bondgenoten nodig.

Uiteindelijk vertaalt dit alles zich in een attitude waarbij de organisatie niet als een autonoom functionerend geheel wordt gezien, maar als onderdeel van samenwerkingsverbanden. Samenwerking wordt op die manier genetisch in de organisatie ingebakken. Het normen- en waardepatroon van allianties (zie hoofdstuk 3) wordt in dat geval ook intern in de organisatie toegepast.

Er zijn slechts weinig organisaties die het stadium van de volmaakte alliantie mindset bereiken. Van de bestudeerde cases komen de tomatenkwekers van Prominent daar eigenlijk nog het dichtst bij. De regionale samenwerkingscultuur waarin in hun alliantie wortelt, heeft hen voorbereid op de vergaande vorm van samenwerking waarbij zij nu zijn betrokken. Deze samenwerkingscultuur heeft een lange geschiedenis. Van grote organisaties die niet vanaf het begin van hun bestaan met allianties zijn bezig geweest, valt niet te verwachten dat zij in korte tijd een omslag kunnen maken van een traditionele naar een alliantie mindset. Een dergelijke mindset is voor besturing van belang omdat de manier waarop besturing wordt ingericht erdoor wordt bepaald. Zeker voor de informele invulling die aan allianties wordt gegeven maakt de mindset een groot verschil.

Dit alles heeft ook implicaties voor de stijl van leiding geven. Een hiërarchisch-directieve stijl past minder bij alliantiebestuur dan een coachende stijl. Alliantie-managers moeten van het hogere management de ruimte krijgen die beslissingen te nemen die voor het samenwerkingsverband nodig zijn. Hoger management dient wel control uit te oefenen door de doelstelling van de alliantie te formuleren, maar zal het verdere proces over hoe die doelstelling wordt bereikt in vergaande mate aan de alliantiemanager moeten overlaten.

9.5 Samenvatting

Alliantiebesturing vraagt om interne aanpassingen in organisaties. Alleen bedrijven die de juiste processen, functies, cultuur en managementstijl hebben, zullen
in staat zijn allianties goed aan te sturen. Zij vergroten zowel hun vermogen tot
control van allianties als hun vermogen hen tot waarde te brengen.

Noten

1 Dyer et al., 2001
2 Assocation of Strategic Alliance Professionals, 2004
3 Kaats et al., 2005

10
Een precisie-instrument voor concurreren en innoveren

De organisatievorm van de alliantie past uitstekend bij een kenniseconomie, waarin innovatie de belangrijkste bron is van concurrentievoordeel. De cases laten het enorme potentieel van allianties zien. Alle cases hebben een element van innovatie in zich: een nieuw concept van koffiezetten, betere luchtverbindingen voor de klant, nieuwe dienstverlening op re-integratiegebied, een nieuw bouwconcept en markt- en technologische innovatie in de tomatenteelt. Slimme alliantievorming kan leiden tot concurrentievoordeel door innovatie. Daarmee hebben allianties ook een maatschappelijk nut. Zij dragen bij aan een dynamische economie, doordat zij een mix van samenwerking en concurrentie tot stand brengen die vernieuwing stimuleert. Zo bezien zijn allianties niet alleen een gevolg van de kenniseconomie, maar ook een drijvende kracht erachter.

In de voorgaande hoofdstukken is gebleken dat het aantal keuzes dat gemaakt kan worden bij het ontwerp van een alliantie zeer groot is. Omdat allianties precisie-instrumenten zijn, moeten deze keuzes per geval worden ingevuld. Elke specifieke doelstelling heeft haar bijbehorende besturing.

De inrichting van de besturing vraagt dus ook om precisiewerk. Het luistert nauw hoe een besturingsmodel wordt ontworpen. Talloze aspecten zijn van belang. De kans op weeffouten is groot. In dit hoofdstuk worden eerst de hoofdstappen rondom alliantiebesturing aangegeven en vervolgens wordt bij die stappen een aantal specifiekere richtlijnen gegeven om een goed besturingsontwerp tot stand te brengen. Als laatste wordt nog vooruitgeblikt naar de toekomst.

10.1 De hoofdstappen bij het ontwerpen van alliantiebesturing

Figuur 10.1 geeft aan welke stappen doorlopen moeten worden om een besturingssysteem op te zetten. Het eerste en belangrijkste element hiervoor is het doel van de alliantie. Dit is de basis voor een besturingssysteem. Nadat het doel is vastgesteld, moet worden bepaald wat de vereiste mate van control en trust is in de alliantie. Tenslotte zullen de verschillende bouwstenen van alliantiebesturing gedetailleerd moeten worden ingevuld om het vereiste niveau van control en trust te bereiken. Effectieve alliantiebesturing vraagt om de toepassing van verschillende besturingsmechanismen naast elkaar. Een samenhangend besturingssysteem is nodig. Het is niet voldoende om alleen een alliantiemanager te benoemen die alle problemen maar moet oplossen.

Figuur 10.1: Stappen in het ontwerpen van een besturingsmodel

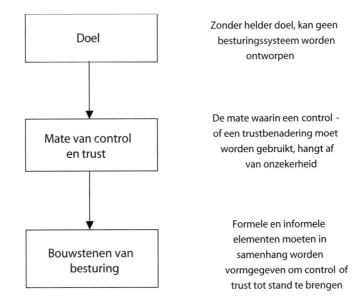

Er wordt vaak alleen nagedacht over de laatste stap, zonder steeds terug te redeneren naar het doel van de alliantie en de vereiste mate van control en trust. Dit is verklaarbaar uit het feit dat het altijd makkelijker is om over concrete zaken te spreken, zoals de verdeling van de winst, d an over de meer abstracte. Het druist echter in tegen het precisiekarakter van allianties: wil een ondernemer een precies doel bereiken, dan moet hij daar ook de precieze besturing voor invoeren. Het vereist de nodige zorgvuldigheid om daartoe te komen.

10.2 Enkele richtlijnen voor alliantiebesturing

In de voorgaande hoofdstukken zijn verschillende aspecten rondom deze stappen besproken. Hieronder worden de vijf belangrijkste lessen kort samengevat. De eerste drie gaan over de drie stappen uit figuur 10.1. De laatste twee hebben betrekking op de dynamiek en de interne kant van besturing.

Elke alliantie heeft een unieke besturing: het is precisiewerk

Allianties kunnen heel precies worden ingericht om een specifiek doel te bereiken. De scope van de samenwerking is vaak nauw omschreven. De aard van de doelstellingen kan daarbij erg verschillen. In de cases gaat het om ontwikkeling van de 'packaged coffee' markt bij Senseo, Noord-Atlantisch passagiersvervoer bij KLM-Northwest, de bouw van scholen bij Talentgroep, schadelastbeheersing door re-integratie bij Keerpunt, innovatie in de tomatenteelt bij Prominent. Het zijn geheel verschillende doelstellingen, maar elke doelstelling op zich is scherp afgebakend. Daarbij wordt in de meeste allianties aangesloten bij kennis. Toegang tot en combineren van kennis is vaak het doel van allianties. De besturing van allianties moet dan ook zodanig worden ingericht dat optimaal van de specifieke kennis van partners gebruik wordt gemaakt.

Het breed inzetbare precisiekarakter heeft als effect dat allianties in alle soorten en maten voorkomen en dat elke vorm van alliantiebesturing uniek is. De veelkoppigheid van allianties vindt hier dus zijn oorzaak. Het voordeel ervan is dat allianties op veel manieren toepasbaar zijn. Het nadeel is dat er geen standaardmodel voor allianties is en dat elke alliantie apart moet worden uitgevonden. Een andere conclusie is dat al te brede doelstellingen binnen allianties moeten worden vermeden. De kracht van allianties is juist dat op nauw afgebakende gebieden kan worden samengewerkt. Te brede doelstellingen benutten dit kenmerk van allianties niet en maken het veel moeilijker een goede besturingsstructuur voor de alliantie te ontwerpen.

Verschillende allianties vragen om een verschillende balans tussen control en trust

De mate waarin voor allianties een control- of trustbenadering relevant is, hangt af van de onzekerheid ten aanzien van de partner en de onzekerheden in de business. Het is naïef om te veronderstellen dat een alliantie alleen op vertrouwen en commitment gebaseerd kan zijn. Er moet bewust worden gestuurd om een alliantiedoel te bereiken. Het is even naïef om te geloven dat het voldoende is om een aantal goed geformuleerde regels en procedures af te spreken om een alliantie een succes te maken. Een alliantie waar geen visie en enthousiasme in zit, zal met moeite overeind blijven.

Control waarborgt de sturing van een organisatie: het geeft richting, grip en zekerheid waar dat nodig is. Het voorkomt dat slecht presterende allianties te lang blijven voortmodderen omdat goede control tijdig ingrijpen waarborgt. Daarom is het nodig controlelementen in een alliantie in te bouwen. Trust verhoogt flexibiliteit en creativiteit. Allianties die organisaties en mensen aanspreken op datgene wat hen motiveert en die hun verschillende competenties weten te verenigen, hebben een goede kans succesvol te worden.

Trust en control hebben elk hun eigen toepassingsgebied. Managers zullen moeten leren beide benaderingen te hanteren, alleen of in combinatie, afhankelijk van de omstandigheden. Zo drijft Prominent grotendeels op een trustbenadering, terwijl Keerpunt meer controlaspecten kent. Control is goed, vertrouwen is goed, maar elk op zijn eigen gebied.

Er zijn vele bouwstenen van alliantiebesturing

De bouwstenen van alliantiebesturing zijn in hoofdstuk 3 beschreven. Er zijn formele bouwstenen zoals contracten en besluitvormingsprocessen en informele bouwstenen zoals cultuur en leiderschapsstijl. De bouwstenen kunnen in een eindeloze variëteit worden gecombineerd. Hieronder zijn kort enkele richtlijnen beschreven.

Besteed aandacht aan zowel formele als informele elementen van alliantiebestuur

Alliantiebesturing kent een groot aantal bouwstenen. Sommige daarvan hebben een overwegend formeel karakter, zoals financiële rekenregels en besluitvormingsprocedures. Informele aspecten zoals commitment en persoonlijke relaties zijn echter ook van belang. Deze laatste zijn bij allianties relevant omdat er uiteindelijk geen hiërarchie is die een geschil kan oplossen. Binnen bedrijven kan uiteindelijk de top knopen doorhakken. In allianties kan dit uiteindelijk niet. Gezamenlijke besluitvorming is een incompleet mechanisme voor het oplossen van problemen, omdat patstellingen kunnen ontstaan. Een goede relatie geeft in zo'n geval een bepaalde mate van zekerheid en vertrouwen dat geschillen in der minne kunnen worden geschikt. De cases laten duidelijk de beperking zien van een puur formele benadering van allianties. Partners hechten groot belang aan de manier waarop ze met elkaar omgaan. Ook het feit dat veel veranderingen in allianties niet in contracten worden vastgelegd, laat zien dat de informele aspecten van samenwerking relevant zijn. Formele afspraken werken alleen wanneer zij wortelen in een informele ondergrond.

Daarbij hoort ook een normen- en waardepatroon dat past bij samenwerking. Terughoudend zijn in het gebruik van macht, niet altijd het onderste uit de kan willen hebben, geven en nemen en begrip voor de partner zijn daar onderdeel van. Allianties kunnen niet behandeld worden als fusies, overnames of klant-leveranciersrelaties. Zonder aandacht voor de informele kant zal het moeilijk zijn levensvatbare allianties tot stand te brengen. Het bereiken van een concurrentievoordeel mag dan de belangrijkste basis zijn onder allianties, zij leven niet bij brood alleen.

De juridische vorm is niet doorslaggevend voor besturing

De keuze voor de juridische vorm van een alliantie is moeilijk te maken. Vaak wordt het debat daarover verengd tot een keuze voor een contractuele alliantie of een equity-alliantie. In de cases zijn drie modellen besproken: de contractuele alliantie, de virtuele joint venture en de joint venture. In Bijlage B zijn verschillende overwegingen om voor het ene of het andere model te kiezen opgenomen.

Het is echter niet zo dat de keuze voor een bepaald model de hele besturing vastlegt. De bouwstenen van alliantiebesturing kunnen zo op elkaar worden gestapeld dat ook met een joint venture het effect van een contractuele relatie kan worden benaderd en omgekeerd, zoals KLM en Northwest laten zien. De juridische vorm is een onderdeel van een groter en uitgebreider besturingssysteem, waarin nog vele varianten mogelijk zijn. Hoe de uiteindelijke alliantiebesturing er uit ziet, hangt af van hoe alle bouwstenen in combinatie worden toegepast. Het is dus niet zinvol voor ondernemers om zich blind te staren op de keuze van de juridische vorm.

Zorg voor een combinatie van zelfsturing en hiërarchie

Hoewel allianties uiteindelijk niet hiërarchisch zijn, omdat er geen hogere macht is boven de partners, blijkt er binnen allianties nog wel sprake van hiërarchie. Allianties vragen om zelfcoördinatie op een lager niveau. Alliantieteams zullen zelf een groot probleemoplossend vermogen moeten hebben en in staat moeten worden gesteld om zelf beslissingen te nemen. Toch laten de cases ook zien dat binnen allianties veel van de traditionele hiërarchie terug te vinden is. Bij KLM-Northwest is er een structuur met daarin verbindingen op boardniveau, in de Alliance Steering Committee en in de werkgroepen. De Senseo alliantie heeft een soortgelijke structuur, evenals Talentgroep. In Prominent is er ook een vorm van hiërarchie te ontdekken al is daar sprake van een gekozen bestuur en kent de hiërarchie minder lagen dan in de andere cases. Hoewel zelfcoördinatie zeker een opvallend kenmerk is van alliantiebesturing, blijkt dat binnen allianties vaak weer een nieuwe vorm van hiërarchie nodig is.

Organiseer voor dynamiek: continue onderhandeling en wederzijdse aanpassing

Voor managers die een rustig leven zoeken is een alliantie niet de oplossing. Grotere veranderingen in het alliantiebestuur komen regelmatig voor. De aanleiding hiervan is divers: interne en externe oorzaken kunnen aanpassing nodig maken. Al werken de KLM en Northwest al vele jaren samen verandering is er nog altijd aan de orde van de dag. Juist omdat allianties geschikt zijn in turbulente omgevingen is het verdacht wanneer ze stabiel zijn. In veel gevallen is stabiliteit dan ook een aanleiding om eens goed te kijken of het samenwerkingsverband nog wel aan de oorspronkelijke doelstelling voldoet. In ieder geval is aanpassing aan veranderende omstandigheden zo belangrijk dat al bij het ontwerp van een alliantie een regelmatige review moet worden ingebouwd om te zien of aanpassingen noodzakelijk zijn. Een alliantie is eerder een evoluerend organisme dan een onveranderlijke machine.

Dynamiek in allianties is dus geen indicatie dat de bestuursstructuur verkeerd is ontworpen. Allianties worden juist opgezet om te kunnen omgaan met een veranderende omgeving. De klacht dat ze instabiel zijn omdat zij regelmatig aangepast moeten worden of omdat ze makkelijk zijn te beëindigen is dan ook onterecht. Instabiliteit is geen nadeel van allianties. Instabiliteit is gewenst. Het maakt het mogelijk in te spelen op veranderingen.

De meeste dynamiek in alliantierelaties wordt opgevangen door continue onderhandeling en wederzijdse aanpassing. Omdat niet alles van tevoren is vast te leggen, moet er continu worden onderhandeld over allerlei zaken en onvoorziene omstandigheden. Steeds zal bekeken moeten worden hoe partners zich aan elkaar moeten aanpassen. De mechanismen van wederzijdse aanpassing en continue onderhandeling zijn dan ook de meest in het oog lopende besturingsmechanismen van allianties.

Alliëren kan je leren: interne besturing is een randvoorwaarde voor de externe besturing

Alliantiemanagement is een belangrijk onderdeel van alliantiebesturing. De cases laten het belang zien van de persoon van de alliantiemanager. Niet iedereen is in staat die functie te vervullen. Zowel managers als organisaties moeten die vaardigheid ontwikkelen. Alliantiemanagers combineren verschillende rollen en taken. Naast hun algemene managementvaardigheden, dienen zij ook te beschikken over een grondige kennis van samenwerking. Zij vertegenwoordigen hun organisatie in de alliantie, zijn de leiders van de alliantie en soms ook nog de ambassadeur van de alliantie in hun eigen organisatie. Binnen de vastgelegde regels hebben zij verschillende mogelijkheden om te sturen. Aangezien zij dit in samenwerking doen met hun tegenhangers in hun partner(s) is hun vermogen om werkbare relaties op te bouwen met anderen een belangrijke vaardigheid waarop zij moeten worden geselecteerd. De eisen aan alliantiemanagers zijn dus hoog. "Tot alliantiemanager benoem ik degene die ik eigenlijk ergens anders nodig heb", zei één van de geïnterviewde managers. Waar alliantiemanagement vroeger op de vrijdagmiddag erbij werd gedaan, heeft het zich nu ontwikkeld tot een volwaardige professie. Alliantiemanagement is een vak.

Alliantiebesturing vraagt ook om aanpassingen in de interne besturing. Uit de cases werd duidelijk dat om te komen tot een goede besturing van allianties aan enkele randvoorwaarden binnen de samenwerkende organisaties moet zijn voldaan. De juiste processen, mensen en mindset moeten aanwezig zijn om een alliantie daadwerkelijk te kunnen aansturen. Sommige organisaties zijn daar beter in dan andere. Alvorens een samenwerkingsverband op te zetten zullen bedrijven zich dus aan een kritisch zelfonderzoek moeten onderwerpen om vast te stellen of zij wel in staat zijn om allianties te managen. Zo niet, dan dienen ze de vereiste kennis en ervaring op te doen. Zowel in Philips, KLM als Strukton wordt dit proces bewust gemanaged. Want alliëren kan je leren.

10.3 De toekomst: welke ontwikkeling staat ons nog te wachten?

De ontwikkeling in de richting van een kenniseconomie gaat gepaard met een toenemend gebruik van allianties. Steeds meer raken bedrijven daardoor direct of indirect met elkaar verbonden, zodat uiteindelijk uitgebreide netwerken van ondernemingen ontstaan. Allianties zijn de bouwstenen van die netwerken. Zolang de bedrijfsomgeving zich in dezelfde richting blijft ontwikkelen, neemt voor veel bedrijven het belang van samenwerking toe. Dit past in een bredere trend van organisatorische aanpassingen waarbij ook de interne organisatie van ondernemingen geleidelijk van aard verandert[1]. De onderneming wordt steeds meer een set van kerncompetenties, ingebed in een netwerk van allianties met bedrijven die aanvullende competenties leveren.

De ingezette ontwikkeling naar nieuwe bestuursmodellen is daardoor waarschijnlijk nog niet ten einde. De case van Prominent laat zien wat er nog mogelijk is wanneer allianties zijn ingebed in een cultuur van samenwerking en concurrentie. Naarmate deze cultuur zich ook in andere sectoren verspreid, kunnen nieuwe manieren van alliantiebesturing en netwerkbesturing[2] ontstaan.

Zo ontstaan er al organisaties waarvan het grootste deel van het werk bestaat uit het organiseren en aansturen van multipartnerallianties[3]. Hun functie is partijen met elkaar in contact te brengen, kennisuitwisseling en innovatie in de alliantie te stimuleren, nieuwe opdrachten voor het netwerk binnen te halen en nieuwe partners te selecteren. Het bestuur van de alliantie wordt dan voor een deel uit de partners zelf gehaald en als zelfstandige activiteit in een apart bedrijf vorm gegeven. In hoeverre zulke modellen levensvatbaar zijn, zal natuurlijk nog moeten blijken. Het feit dat er nog altijd nieuwe besturingsmodellen ontstaan, geeft echter aan dat de ontwikkelingen op dit vlak nog niet zijn voltooid. Dit alles past in de trend van de netwerksamenleving, die aan het ontstaan is, waarbij samenwerking in netwerken kenmerkend wordt voor allerlei maatschappelijke structuren[4].

Door het aangaan van nieuwe allianties en het verbreken van bestaande kunnen organisaties zich anders positioneren in het krachtenveld van hun sector. Nieuwe vragen van alliantiebesturing die beantwoord zullen moeten worden, zijn:
- Wat is de optimale alliantieportfolio van een organisatie? Is het beter te kiezen voor veel of weinig allianties? Voor losse of intensieve relaties?
- Welke plaats moet een bedrijf innemen in alliantienetwerken op industrietakniveau? Is het verstandig om een centrale speler te zijn of is het slimmer af te wachten en op een later moment bij een winnaar aan te sluiten?
- Welke mogelijkheden zijn er om de identiteit van een bedrijf te handhaven

wanneer meer dan de helft van het bedrijf afhankelijk is van allianties? Waar ligt eigenlijk de grens van de organisatie? Is het netwerk de onderneming geworden?

Ondernemingen komen steeds vaker voor de keuze te staan om alleen te blijven of samen te werken. Alliantievorming is één van de opties voor samenwerking. Het vermogen de juiste keuze voor een samenwerkingsvorm te maken, bepaalt steeds meer de vitaliteit van ondernemingen. De vele vormen van samenwerking en de verschillende manieren om ze in te richten maken alliantiebestuur tot een complexe materie. Toch zijn er veel successen aanwijsbaar. Bedrijven die in staat zijn om uit de veelheid aan keuzes de juiste besturing samen te stellen, behalen een concurrentievoordeel. Bedrijven die kiezen voor een 'one size fits all'-benadering, waarbij ongeacht de problematiek voor dezelfde organisatorische oplossing wordt gekozen, laten kansen liggen. Allianties zijn precisie-instrumenten die vragen om maatwerk in besturing.

Samenwerking is geen panacee voor alle kwalen. Voor sommige bedrijven in sommige sectoren zijn fusies en overnames of interne groei betere manieren om hun doelstellingen te bereiken. In het algemeen vraagt de steeds diverser wordende bedrijfsomgeving echter ook om steeds diversere oplossingen. Bedrijven die weten wanneer welke alliantievorm toe te passen en hoe ze allianties op maat kunnen maken, hebben daarom een voorsprong op concurrenten. Zij weten de veelkoppigheid van samenwerking om te zetten in een precisie-instrument, dat voordeel oplevert. Een groeiend aantal bedrijven zal dan ook de vaardigheid op moeten bouwen om allianties adequaat te besturen.

Noten

1 De Man, 2000
2 De Man, 2004a; Jones et al., 1997
3 Parkhe, 2001
4 Castells, 1996

English summary
Alliance governance
Collaboration as a precision tool

The use of alliances is increasingly widespread. Even though some companies in some sectors choose not to enter into collaborative agreements, an increasing number of companies in a growing number of sectors find alliances a useful instrument to gain competitive advantage. The growing attention for the external organization of companies is explained by the transition the economy makes from an industrial economy based on economies of scale and scope towards a knowledge economy in which competitive advantage is created by economies of skill.

The organization model of the twentieth century was the multidivisional enterprise. It rested on the assumptions that stable market segments existed, that the supply of raw materials was uncertain and economies of scale and scope were the cornerstone of competitive advantage. These market characteristics drove companies towards autonomy and self sufficiency: the best way for a company to survive was vertical integration, optimization of internal operating processes and low dependency on the outside world.

Increasingly erratic consumer behaviour, abundance of raw materials, ways to transport them to any place at any time, and the growing importance of innovation has made this model obsolete in many industries. It is no longer necessary to bring all resources within the walls of one company, because so much can be sourced outside. Nor is it desirable: increased competition demands companies to focus on what they do best and leave other activities to other companies. Nor is it possible for a company to keep up with developments by itself. More knowledge is created outside a specific company than inside it. Alliances are one way to get access to this knowledge.

Setting up alliances is far from easy. Collaboration is a many-headed thing. It is hard to discuss alliances in the same way as the divisional form, business units or the matrix. The pluriformity of alliances is much bigger than of each of these forms. This diversity of alliances has a useful and a dangerous side. The useful side is that alliances can be tailored to almost any conceivable goal. They can be structured in such a way as to achieve a narrowly defined purpose.

They are precision tools. The dangerous side is that the bewildering number of choices managers face in designing alliances makes it difficult to design the correct governance structure. Each circumstance asks for a different governance type. Using alliances without a thorough understanding of them may therefore lead to failure.

Control and trust in alliance governance

Before specifying a governance structure in detail, the first question that needs to be asked after having clarified the goal of the alliance, is whether it should be managed according to a control or a trust approach. The control view focuses on preventing opportunistic behaviour by partners. It emphasizes rules and regulations for partners and their staff, which aim at making their behaviour predictable. In the trust view the core management problem is defined as bridging and exploiting the differences between organizations. It emphasizes the role of self-coordination and intrinsic motivation of persons involved in the alliance.

There are good grounds for both views. It would be naive to assume that an alliance partner would automatically behave in the interest of its partner company. It is equally naive to believe that putting in place rules and regulations is sufficient to start a process of value creation. The emphasis that should be placed on either trust or control in alliances may differ in relation to two variables (see figure 1): business uncertainty and partner uncertainty. Business uncertainty refers to uncertain markets, strong competition, rapidly changing consumer preferences or regulation. Partner uncertainty is high when it is the first time that an alliance is set up with a partner, when the partner is a competitor or when the partner has his roots in a different industry.

Figure 1: The role of control, trust and uncertainty in alliance governance

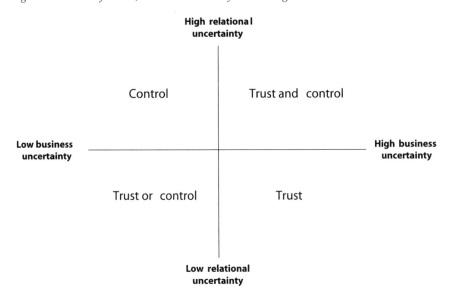

When both partner and business uncertainty are high, companies should try to build both control and trust elements into the alliance. Trust is necessary because high business uncertainty implies that the alliance will have to adapt to unforeseen, changing circumstances. These can not be controlled; the partner needs to be trusted to handle them well. Control is necessary because working with a new partner requires companies to make more explicit agreements about the operating principles of the alliance. Both a control and a trust approach need to be applied, but in moderation.

Low business uncertainty makes it possible to exercise control: things can be planned. Together with high partner uncertainty the need for control increases. When partner uncertainty is low, for example because the partners already know each other, and business uncertainty is high, a governance approach with trust as its dominant characteristic seems to be the best option. When both forms of uncertainty are low, either trust or control may dominate.

Building blocks of alliance governance

After the desired balance of control and trust is determined, this balance can be realized by designing a detailed governance structure. Alliance governance has a number of building blocks (see figure 2), consisting of formal elements and informal elements. Formal elements relate to explicit agreements about contracts, business planning, finance and control mechanisms. These structural elements form the backbone of an alliance.

Figure 2: Building blocks of alliance governance

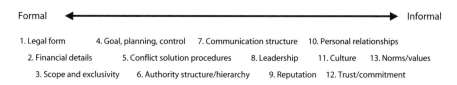

Informal elements relate to personal relationships, norms and values in the alliance, trust and the like. These elements are harder to design, but they do have an important impact on alliance performance. Therefore attention is required for building up relationships and addressing the 'softer' issues of alliances. Without that the 'soft' issues may turn into hard reasons for alliance failure. Hence, both formal and informal elements need to be addressed in order to get to a governance system that works.

Formal and informal elements may influence each other. Clear rules of engagement may increase trust in a partner. Alternatively, a high level of trust may make it easier to depart from the rules without going through the expensive and cumbersome route of changing a contract.

Alliance form

A number of different basic alliance forms may be distinguished. Most frequently occurring is the contractual alliance. Most alliances are contractual agreements between firms. In these cases both firms remain separate and they only need to integrate their businesses to a limited extent. An example is the Senseo alliance between Philips and Sara Lee, which aimed at creating a new way of making coffee. Philips delivered a new coffee machine; Sara Lee developed packaged coffee to go with it.

In a virtual joint venture on the other hand, companies pool all their revenues and costs in a part of their business and next share the profits. The alliance between KLM and Northwest Airlines is an example. In this alliance the partners have pooled their activities on the cross-Atlantic route and share profits on a 50/50 basis. A third basic alliance form is the joint venture. A joint venture is an alliance in which two companies become shareholders in a new business. Insurance companies Nationale-Nederlanden and Fortis have set up a joint venture, called Keerpunt. Keerpunt offers reintegration services which help sick employees to get back to work as soon as possible. Such a service benefits Nationale-Nederlanden en Fortis because they insure companies against sick leave. The sooner people are back to work, the less they have to pay out.

Contractual alliances and joint ventures may also involve more than two partners. These multipartner alliances are becoming increasingly popular. In the construction industry ISS, Strukton and Imtech, collaborate in the Talentgroep with KPMG, Allen Overy and BNG to create a new building concept for schools. In horticulture, one of the most innovative sectors of The Netherlands, growers of flowers, plants and vegetables collaborate in grower's associations. Prominent is one such an alliance and was set up by twenty growers of tomatoes. One of the aims of Prominent is to innovate and experiment with new ways of cultivating plants. It is in a sense the R&D lab of the tomato growers.

Each of these forms has its pro's and con's. Choosing the right mode depends among others on the goal, duration and scope of the alliance. Although this choice is important, it is not the sole determining factor in designing a governance system for alliances. The building blocks of alliance governance are so varied that it is possible to tailor any of these forms to a specific situation.

Dynamics of alliance governance

One striking aspect of alliance governance is that governance structures tend to change over time. As alliances are applied in dynamic settings, it is only to be expected that they need to adapt to changing circumstances. In fact changes in the governance structures are very common. Some of these changes are formal, for example new alliance committees being formed or a change in shareholder relationships. Most changes however are never formalized, either because they are informal (like a growing ability to cross cultural boundaries between companies) or because they are unsubstantial. Invariably, alliance governance demands mutual adjustment and continuous negotiation to adapt to changing circumstances.

A regular review of the governance structure is necessary in order to ensure the fit between the structure and the demands of the alliance. Indicators that the governance structure requires adaptation are: regular communication problems, complaints of alliance managers about lack of control or inflexibility, changes in the business environment, changes in the strategy of a partner, slow or hasty decision-making and frequent staff changes.

Alliance capability

Not all companies are experts at applying the elements of alliance governance (trust/control, building blocks, form, dynamics). Alliances have an impact inside companies. Especially when alliances are important and numerous, companies may have to adapt their internal operating procedures to ensure alliances are managed properly. Incentives of personnel may have to be adapted, internal support for an alliance must be lined up and sometimes people may have to be educated about alliance management. In short: alliance intensive companies must build up an alliance capability.

Creating a collaborative mindset is a lengthy process. The norms and values underpinning alliances are different from what most managers are used to. They involve mutual adjustment, optimizing alliance performance rather than company performance, empathy and a reluctance to use power. Without a different mindset, it will be hard to create a successful alliance.

A precision tool

The diversity of alliances is enormous. That is why alliances are such a good tool to help companies survive a turbulent knowledge economy: they can be tailored to each conceivable situation. In summary, the next guidelines are relevant for developing a custom made alliance governance structure:
- Apply alliances as a precision tool. They can be tailored to almost any conceivable business need. In addition alliance goals should not be too broad.
- Create the right balance of control and trust. Control and/or trust need to be applied in specific circumstances. Control is good, trust is good, but not to the same extent in every situation.
- Organize for dynamics. Mutual adjustment and continuous negotiation are the mechanisms used for dealing with dynamics. Companies are well-advised to ensure that a regular review of the governance structure takes place to ensure timely change.

- Learn to ally. Alliance management is a separate profession. Next to individual managers having to understand the do's and don'ts of alliances, corporate structures need to be suitable for them as well.

Alliances need to be applied with caution. So many choices can be made and so many varieties exist that it is becoming a separate managerial skill to design the correct governance structure for a specific purpose. Those companies able to apply the correct alliance form in a particular situation will get a competitive advantage over those opting for a 'one size fits all' approach. Depending on one type of alliance (or solely on mergers and acquisitions) is a risky strategy in many businesses. The increasingly multifaceted demands of business need to be met with increasingly multifaceted organizational strategies. Learning how to apply alliances is therefore a competence more and more companies need to build up.

Bijlage A:
Elementen van een alliantiecontract

Hieronder zijn verschillende elementen verzameld die in een alliantiecontract of business plan kunnen worden opgenomen. Niet alle zaken hoeven in alle allianties te worden geregeld. Ook de mate waarin elk van deze zaken wordt geregeld, verschilt. Wanneer de nadruk op control ligt, zullen meer en gedetailleerdere afspraken worden gemaakt; ligt de nadruk op trust dan wordt meer gefocust op de algemene principes van de samenwerking.

1 Achtergrond van de samenwerking
• Doel en redenen voor de samenwerking
• Betrokken partners

2 Afbakening alliantie
• Activiteiten van de alliantie
• Markt waarop alliantie zich beweegt
• Duur van de alliantie
• Exclusiviteit: wel of niet

3 Investeringen
• Inbreng van de partners in mensen, middelen, geld, merken, kennis, informatie

4 Besluitvorming
• Wie besluit wat
• Wijze van besluitvorming
• Reserved powers (zaken waar één van de partners over mag beslissen)
• Veto's

5 Management en structuur
• Vorm van de alliantie
• Betrokken managementniveaus
• Overlegorganen
• Taken en bevoegdheden van de betrokken personen/overlegorganen
• Prestatie-indicatoren

- Planning & control
- Deadlines
- Rapportagestructuur
- Monitoring
- Evaluatiewijze en -momenten

6 Financiën
- Prijzen, kosten, transfer pricing
- Budgetten en budgetteringscyclus
- Hoe te handelen bij over- en onderschrijding van het budget
- Verdeling van opbrengsten en kosten
- Cash flow
- Wijze van omgaan met financiële risico's

7 Juridische zaken
- Eigendomsrechten van materiële en immateriële zaken (databases, merken, patenten etc.)
- Vertrouwelijkheid
- Aansprakelijkheid
- Ontbindende voorwaarden
- Geschillenregeling

8 Verandering van de alliantie
- Hoe te handelen bij intensivering, opheffing, verkoop of uitbreiding van de samenwerking
- Toe- en uittreden nieuwe partners

9 Implementatie
- Fasering
- Mijlpalen
- Communicatie en publiciteit

Bijlage B:
Drie alliantievormen vergeleken

In de literatuur zijn diverse pogingen gedaan om een kader te ontwikkelen voor de keuze van de vorm van een alliantie. Meestal richten zij zich op de keuze tussen een contractuele of een equity-relatie. Deze pogingen zijn zelden succesvol geweest[1]. Hier wordt geen poging gedaan te komen tot een alles verklarend theoretisch raamwerk om de optimale alliantievorm te bepalen. Juist vanwege het feit dat allianties in zoveel verschillende situaties toepasbaar zijn, lijkt het fundamenteel onmogelijk om een waterdicht stappenplan te maken. In plaats daarvan worden hier de argumenten die de geïnterviewde managers hebben gegeven gebruikt om licht te werpen op de keuze van alliantievorm. Aan het eind van de hoofdstukken 4 tot en met 7 is telkens aangegeven wanneer het model van die case toepasbaar is. Tabel B.1 vat die teksten samen.

De multipartneralliantie is in de tabel niet meegenomen omdat die zowel als contract, als virtuele joint venture en als joint venture kan worden vormgegeven. Talentgroep werkt met een contract; Prominent met een joint venture. Een mooi voorbeeld van het gebruik van de virtuele joint venture door een multipartneralliantie is de National Football League in Amerika[2]. De verschillende footballteams delen ongeveer 70% van hun inkomsten met elkaar en hebben een afspraak over de maximumsalarissen die aan spelers worden betaald. Daardoor kan ook een slechter presterend team overleven en een volgend jaar weer goede spelers aantrekken. Dat houdt de competitie spannend: anders dan in de Nederlandse voetbalcompetitie waar de nummers een, twee en drie aan het begin van het seizoen al te voorspellen zijn, ligt in Amerika de competitie elk jaar weer geheel open. Dat houdt de sport populair en levert bijvoorbeeld extra inkomsten op uit reclame.

Redenen voor de keuze van een vorm

De belangrijkste bepalende factor voor de keuze van een vorm is ook hier weer het doel. Er is een onderscheid mogelijk tussen complementaire allianties en schaalallianties[3]. Bij complementaire allianties combineren bedrijven verschillende competenties in hun samenwerking. De Senseo-alliantie combineert kennis over apparaten met kennis over koffie. Dit soort allianties is het beste vorm te geven door middel van een contractuele alliantie.

In schaalallianties liggen de voordelen van samenwerking in het combineren van soortgelijke competenties of assets. Hierdoor kunnen schaalvoordelen worden behaald, kan marktkracht worden vergroot of kan productiecapaciteit beter worden benut. KLM en Northwest zijn hier een voorbeeld van. In Keerpunt is de benodigde competentie van re-integratie een gebied waar Nationale-Nederlanden en Fortis door samenwerking voordeel kunnen halen door een betere benutting van kennis en capaciteit op dat vlak. Schaalallianties vragen om vergaande integratie en het joint venture model is daarbij de geëigende oplossing, virtueel of niet-virtueel.

De tijdsduur is ook een beïnvloedende factor. Joint ventures zijn alleen toepasbaar wanneer er sprake is van een langetermijnrelatie. De kosten van het opzetten van joint ventures zijn hoog en die moeten dus over een langere termijn worden terugverdiend.

De scope van de alliantie is een volgend element. Wanneer toegang nodig is tot een beperkte set van competenties is een contractuele alliantie de aangewezen vorm. Wanneer een complete waardeketen moet worden opgezet zijn joint venture structuren meer geschikt. Een belangrijke vraag daarbij is wel hoe isoleerbaar deze competenties en activiteiten zijn van de rest van de partnerorganisaties. In de KLM-Northwest case bleek dat de activiteiten die de twee partijen in de alliantie zouden inbrengen niet te scheiden waren van de rest van de organisaties. Dit is de hoofdreden om te kiezen voor een virtuele joint venture boven een gewone joint venture. Bij contractuele allianties zijn de competenties meestal niet te scheiden van de rest van de organisaties of is het niet nodig om ze van de rest van de business te scheiden om de beoogde voordelen te bereiken.

Tabel B.1: Gebruik van de verschillende vormen

	Contract	Virtuele joint venture	Joint venture
Doel	complementair	schaal, macht, capaciteit	schaal, macht, capaciteit
Duur	alle tijdsduren mogelijk	lang	lang
Scope	beperkt (één competentie; of activiteit)	breed	breed (business)
Isoleerbaar	nee	nee	ja
Integratie	laag	hoog	hoog
Onafhankelijkheid	laag	laag-matig	hoog
Accountable entity	in partner	alliantie	alliantie
Snelheid	hoog	matig	laag

De vereiste integratie in de alliantie is een andere factor. Wanneer kan worden volstaan met het afstemmen van interfaces tussen producten ligt een contractuele alliantie voor de hand. Wanneer activiteiten echt gezamenlijk moeten worden uitgeoefend om de beoogde voordelen te bereiken, dan is een joint venture een betere oplossing. De mate van onafhankelijkheid van de alliantie heeft daarop ook een effect. Kan een alliantie vrij zelfstandig opereren zonder dat de partners continu bijdragen aan de alliantie? Zo ja, dan is het mogelijk de alliantie als een apart bedrijf op te zetten en kan voor een joint venture worden gekozen. Wanneer een alliantie continu input van de partners nodig heeft, is een contractuele alliantie of virtuele joint venture een betere vorm.

Een volgende vraag is wat de beste as van optimalisatie is. Is het mogelijk en nuttig een aparte accountable entity te definiëren voor de alliantie? Wanneer dit niet mogelijk of nuttig is, zal elk van de partners een af te rekenen eenheid in eigen huis kunnen creëren. Dit gebeurt bij Strukton in de Talentgroep en bij Philips in de aparte line of business die voor Senseo is ingevoerd. Indien het wel mogelijk is de alliantie als eenheid te definiëren waar alle kosten en baten samenvallen en die geoptimaliseerd moet worden dan is de (virtuele) joint venture structuur een geschikt bestuursmodel.

Daarnaast speelt snelheid een rol. Het is meestal sneller om een contractuele afspraak te maken dan om een joint venture op te zetten. Ook zijn contractuele afspraken makkelijker aan te passen. Wanneer haast geboden is of de kans groot is dat de alliantie moet inspelen op veranderende omstandigheden kan er dus gekozen worden voor een contractuele alliantie boven een joint venture.

Overige variabelen en uitzonderingen

De bovenstaande richtlijnen kunnen helpen de optimale vorm voor een alliantie te kiezen. Er zijn nog andere variabelen om rekening mee te houden die de bovengenoemde aspecten kunnen doorkruisen en die niet een op een samenhangen met de keuze van een van de in de tabel genoemde vormen. De belangrijkste zijn de fiscale en juridische aspecten. Bij de keuze van een model spelen fiscale overwegingen altijd een rol. Onder verschillende omstandigheden kan dit leiden tot de keuze voor een joint venture of een contract. Andere juridische aspecten, bijvoorbeeld rondom eigendom, aansprakelijkheid of overheidseisen ten aanzien van een vorm, kunnen ook de business rationale doorkruisen. Sommige landen eisen bijvoorbeeld dat buitenlandse investeerders een joint venture met een lokale partner opzetten.

Tenslotte is er nog een apart gebruik van de joint venture vorm, namelijk als overgangsstructuur. Soms wordt een joint venture gebruikt om twee bedrijfsonderdelen te combineren en voor te bereiden op een beursgang of verkoop aan een derde. Een voorbeeld is de viskwekerij Marine Harvest, een joint venture waarin Nutreco en het Noorse Stolt-Nielsen in 2005 hun viskwekerijactiviteiten hadden gecombineerd met het oogmerk deze te verkopen. Uiteindelijk werd deze

grootste zalmkwekerij ter wereld in 2006 verkocht aan een Noors investerings-
fonds. Ook kan een joint venture gebruikt worden om een bedrijfsonderdeel
stapsgewijs te verkopen. Het bekendste voorbeeld hiervan is de witgoeddivisie
van Philips die eerst in een joint venture met Whirlpool werd ondergebracht en
vervolgens geheel door Whirlpool werd overgenomen. Dit soort 'groeiallianties'[4]
stelt bedrijven in staat elkaar eerst beter te leren kennen alvorens de relatie te
verdiepen of geeft zoals in dit geval de koper (Whirlpool) de mogelijkheid de
koopwaar te inspecteren.

Noten

1   Een wat succesvoller doch verre van probleemloze poging is gedaan door Dyer et al.,
    2004
2   .The Economist, 2006
3   Garette en Dussauge, 2000
4   Zandbergen, 2002

Referenties

Ariño, A., en J.J. Reuer, 2004, 'Designing and renegotiating strategic alliance contracts', *Academy of Management Executive*, 18, 3, 37-48.

Ariño, A., J.J. Reuer en A. Valverde, 2005, 'The perfect 'pre-nup' to strategic alliances: a guide to contracts', *Critical Eye*, juni-augustus, 52-57.

Ars, C.M.F., 2006, *Alliances in the Financial Services Industry*, Afstudeerscriptie Technische Bedrijfskunde, Technische Universiteit Eindhoven.

Asseldonk, T.G.M. van, 1998, *Mass Individualisation*, Veldhoven, TVA Developments.

Assocation of Strategic Alliance Professionals, 2004, *Alliance Management Professional Development Guide*.

Bain, J.S., 1968, *Industrial Organization*, John Wiley.

Bamford, J., en D. Ernst, 2005, 'Getting a grip on alliances', *Corporate Dealmaker*, winter, 29-32.

Bamford, J., B. Gomes-Casseres en M.S. Robinson, 2003, *Mastering Alliance Strategy*, San Francisco, Jossey-Bass.

Bartlett, C.A., en S. Ghoshal, 1993, 'Beyond the M-Form: Toward a Managerial Theory of the Firm', *Strategic Management Journal*, 14, 23–46.

Bell, J.H.J., 2003, *Walking the Tight Rope: Balancing between cooperation and competition*, Inaugurele rede, Katholieke Universiteit Nijmegen.

Brandenburger, A.M. en B.J. Nalebuff, 1997, *Co-opetition*, New York, Doubleday.

Cannon, J.P., R.S. Achrol en G.T. Gundlach, 2000, 'Contracts, Norms, and Plural Form Governance', *Journal of the Academy of Marketing Science*, 28, 2, 180-194.

Carson, S.J., A. Madhok en T. Wu, 2005, *Uncertainty, opportunism and governance: the effects of volatility and ambiguity on formal and relational contracting*, ongepubliceerd working paper, University of Utah.

Castells, M., 1996, *The Rise of the Network Society*, Oxford: Blackwell Publishers.

Chandler, A.D., 1962, *Strategy and Structure*, Cambridge Mass., The MIT Press.

Chandler, A.D., 1990, *Scale and Scope: the Dynamics of Industrial Capitalism*, Cambridge Mass., The Belknap Press of Harvard University Press.

Chesbrough, H., 2003, *Open Innovation*, Cambridge Mass., Harvard Business School Press.

Cools, K., 2005, *Controle is goed, vertrouwen is beter*, Assen, Koninklijke Van Gorcum.

Cullen J.B., J.L. Johnson en T. Sakano, 2000, 'Success through commitment and trust: The soft side of strategic alliance management', *Journal of World Business*, 35, 3, 223-240.

Das, T.K., en B.S. Teng, 1998, 'Between trust and control: Developing confidence in partner cooperation in alliances', *Academy of Management Review*, 23, 3, 491-512.

Das, T.K., en B.S. Teng, 2000, 'Instabilities of strategic alliances: An internal tensions perspective', *Organization Science*, 11, 1, 77-101.

Davis, J.H., F.D. Schoorman en L. Donaldson, 1997, 'Toward a stewardship theory of management', *Academy of Management Review*, 22, 1, 20-47.

Dekker, H.C., 2004, 'Control of inter-organizational relationships: evidence on appropriation concerns and coordination requirements', *Accounting, Organizations and Society*, 29, 27-49.

Douma, M.U., 1997, *Strategic Alliances: Fit or Failure*, dissertatie, Universiteit Twente.

Draulans, J., A.P. de Man en H.W. Volberda, 2003, 'Building alliance capability: management techniques for superior alliance performance', *Long Range Planning*, 36, 2, april, 151-166.

Dussauge, P., en B. Garette, 1999, *Cooperative Strategy*, New York, John Wiley & Sons.

Duysters, G.M., en A.P. de Man, 2003, 'Transitory alliances: an instrument for surviving turbulent industries?', *R&D Management*, 33, 1, 49-58.

Dyer, J.H., 2000, *Collaborative Advantage*, Oxford, Oxford University Press.

Dyer, J.H., en K. Nobeoka, 2000, 'Creating and managing a high-performance knowledge-sharing network: the Toyota case', *Strategic Management Journal*, 21, 345–367.

Dyer, J.H., P. Kale en H. Singh, 2001, 'How to make strategic alliances work', *Sloan Management Review*, zomer, 37–43.

Dyer, J.H., P. Kale en H. Singh, 2004, 'When to ally & when to acquire', *Harvard Business Review*, juli-augustus, 109-115.

The Economist, 2006, 'In a league of its own', 29 april, 63.

Eisenhardt, K.M., 1989, 'Agency theory: An assessment and review', *Academy of Management Review*, 14, 1, 57-74.

Ernst, D., en J. Bamford, 2005, 'Your alliances are too stable', *Harvard Business Review*, juni, 133-141.

Futrell, D., M. Slugay en C.H. Stephens, 2001, 'Becoming a premier partner: Measuring, managing and changing partner capabilities at Eli Lilly and company', *Journal of Commercial Biotechnology*, 8, 1, 5-13.

Garcia-Canal, E., A. Valdés-Llaneza en A. Ariño, 2003, 'Effectiveness of dyadic and multi-party joint ventures', *Organization Studies*, 24, 5, 743-770.

Garette, B., en P. Dussauge, 2000, 'Alliances versus acquisitions: choosing the right option', *European Management Journal*, 18, 1, 63-69.

Ghoshal, S., C. Bartlett en P. Moran, 1999, 'A new manifesto for management', *Sloan Management Review*, 40, 3, 9-19.

Ghoshal, S. en H. Bruch, 2003, 'Going beyond motivation to the power of volition', *MIT Sloan Management Review*, 44, 3, 51-57

Ghoshal, S., en P. Moran, 1996, 'Bad for practice: a critique of transaction theory', *Academy of Management Review*, 21, 1, 13-47.

Gomes-Casseres, B., 1994, 'Group versus group: how alliance networks compete', *Harvard Business Review*, juli-augustus, 62-74.

Gomes-Casseres, B. 1996, *The Alliance Revolution*, Cambridge Mass.: Harvard University Press.

Gomes-Casseres, B., en J. Bamford, 2001, 'The corporation is dead.... Long live the constellation!', in: A.P. de Man, G.M. Duysters en A. Vasudevan (red.), *The Allianced Enterprise*, Singapore: Imperial College Press, 31–40.

Grant, R.M., en C. Baden-Fuller, 2004, 'A knowledge accessing theory of strategic alliances', *Journal of Management Studies*, 41, 1, 61-83.

Gulati, R., 1995, 'Social structure and alliance formation patterns: A longitudinal analysis', *Administrative Science Quarterly*, 40, 619.

Gulati, R., en H. Singh, 1998, 'The architecture of cooperation: Managing coordination costs and appropriation concerns in strategic alliances', *Administrative Science Quarterly*, 43, 4, 781-814.

Hagedoorn, J., 2002, 'Inter-firm R&D partnerships: an overview of major trends and patterns since 1960', *Research Policy*, 31, 477-492.

Hagel, J., en J.S. Brown, 2005, 'Productive friction: How difficult partnerships can accelerate innovation', *Harvard Business Review*, februari, 83-91.

IBM, 2004, *Bio Partnering Survey*, februari.

Inkpen, A.C., en S.C. Currall, 2004, 'The coevolution of trust, control, and learning in joint ventures', *Organization Science*, 15, 5, 586-599.

Iyer, K., 2002, 'Learning in strategic alliances: an evolutionary perspective', *Academy of Marketing Science Review*, 10, 1-16.

Jensen, M.C., en W. Meckling, 1976, 'Theory of the firm: Managerial behavior, agency costs, and capital structure', *Journal of Financial Economics*, 3, October, 305-360.

Jones, C., W.S. Hesterly en S.P. Borgatti, 1997, 'A general theory of network governance: exchange conditions and social mechanisms', *Academy of Management Review*, 22, 4, 911–945.

Kaats, E., P. van Klaveren en W. Opheij, 2005, *Organiseren tussen organisaties*, Schiedam, Scriptum.

Kajüter,P., en H.I. Kulmala, 2005, 'Open-book accounting in networks: Potential achievements and reasons for failures', *Management Accounting Research*, 16, 179-204.

Kale, P., Dyer, J.H. en Singh, H., 2002, 'Alliance capability, stock market response, and long-term alliance success: the role of the alliance function', *Strategic Management Journal*, 23, 8, 747-767.

Kalmbach, C., en C. Roussel, 1999, *Dispelling the myth of alliances*, New York, Andersen Consulting.

Khanna, T., R. Gulati en N. Nohria, 1998, 'The dynamics of learning alliances: competition, cooperation and relative scope', *Strategic Management Journal*, 193-210.

Lui, S. en Ngo, H., 2005, 'The role of trust and contractual safeguards on cooperation in non-equity alliances', *Journal of Management*, 30, 471.

Lynch, R.P., 2001, *Strategic Alliances Best Process Workbook*, Wellesley, Mass., Association of Strategic Alliance Professionals.

Man, A.P. de, 2000, *Concurreren door Organiseren*, Schiedam, Scriptum.

Man, A.P. de, 2004a, *The Network Economy: Strategy, Structure and Management*, Aldershot, U.K., Edward Elgar.

Man, A.P. de, 2004b, *A Movable Feast? Competition in the network economy*, Eindhoven, Technische Universiteit Eindhoven, inaugurele rede.

Man, A.P. de, 2005, 'Alliance Capability: A comparison of the alliance strength of European and American companies', *European Management Journal*, 23, 3, 315-323.

Man, A.P. de, en G.M. Duysters, 2002, *The State of Alliance Management*, Special report for the Association of Strategic Alliance Professionals, Eindhoven, Eindhoven University of Technology.

McAllister, D.J., 1995, 'Affect- and cognition-based trust as foundations for interpersonal cooperation in organizations', *Academy of Management Journal*, 38, 1, 24–59.

Nahapiet, J., en S. Ghoshal, 1998, 'Social capital, intellectual capital and the organizational advantage', *Academy of Management Review*, 23, 2, 242-266.

Norman, P., 2004, 'Knowledge acquisition, knowledge loss, and satisfaction in high technology alliances', *Journal of Business Research*, 57, 610.

NRC Handelsblad, 2005, *Ex-geliefden voor rechter om thuistap*, 10 november, 15.

NRC Handelsblad, 2006, *Hollandse tomaat weer 1 in Duitsland*, 2 maart, 7.

Parkhe, A., 2001, 'A culture of cooperation? Not yet', in: A.P. de Man, G.M. Duysters en A. Vasudevan (red.), The Allianced Enterprise, Singapore, Imperial College Press, 119-122.

Pekàr, P., en M. Margulis, 2003, 'Equity alliances take centre stage', *Business Strategy Review*, 14, 2, 50-62.

Perry, M., Sengupta, S., en Krapfel, R., 2004, 'Effectiveness of horizontal strategic alliances in technologically uncertain environments: are trust and commitment enough?', *Journal of Business Research*, 57, 951.

Prahalad, C.K., and G. Hamel, 1990, 'The core competence of the corporation', *Harvard Business Review*, mei/juni, 79–91.

Reich, R.B., en E.B. Mankin, 1986, 'Joint ventures with Japan give away our future', *Harvard Business Review*, maart/april, 78–86.

Reuer, J., 1999, 'Collaborative strategy: the logic of alliances', *Financial Times*, Special Financial Times Mastering Strategy, september/oktober, 34-37 (www.ftmastering.com).

Reuer, J., en M. Zollo, 2000, 'Managing governance adaptations in strategic alliances', *European Management Journal*, 18, 2, 164-172.

Reuer, J.J., M. Zollo en H. Singh, 2002, 'Post-formation dynamics in strategic alliances', *Strategic Management Journal*, 23, 135-151.

Roijakkers, N., 2003, *Inter-firm cooperation in high-tech industries*, Maastricht, Universitaire Pers Maastricht.

Rond, M. de, en H. Bouchikhi, 2004, 'On the dialectics of strategic alliances', *Organization Science*, 15, 1, 56-69.

Roussel, C., 1998, 'The search for alliance value', *The Alliance Analyst*, 15 september, 1-10.

Rowley, T., D. Behrens en D. Krackhardt, 2000, 'Redundant governance structures: an analysis of structural and relational embedded ness in the steel and semiconductor industries', *Strategic Management Journal*, 21, 369–386.

Slagter, W.J., 1985, *Compendium van het Ondernemingsrecht*, Deventer, Kluwer.

Spekman, R.E., en L. Isabella, 2000, *Alliance Competence*, New York, John Wiley & Sons.

Spekman, R.E., L.A. Isabella, T.C. MacAvoy en T.M. Forbes, 1997, *A guide to managing successful alliances*, Lexington Mass., ICEDR.

Sundaramurthy, C., en M. Lewis, 2003, 'Control and collaboration: Paradoxes of governance', *Academy of Management Review*, 28, 3, 397-415.

Todeva, E., en D. Knoke, 2005, 'Strategic alliances and models of collaboration', *Management Decision*, 43, 1, 123-148.

Trompenaars, F., en C. Hampden-Turner, 1997, *Riding the Waves of Culture*, London, Nicholas Brealey.

Williamson, O.E., 1975, *Markets and Hierarchies: Analysis and antitrust implications*, New York, The Free Press.

Williamson, O.E., 1985, *The Economic Institutions of Capitalism*, New York, The Free Press.

Wissema, J.G. en L. Euser, 1988, *Samenwerking bij technologische vernieuwing*, Deventer, Kluwer Bedrijfswetenschappen.

Yan, A., en B. Gray, 1994, 'Bargaining power, management control, and performance in United States-China joint ventures: a comparative case study', *Academy of Management Journal*, 37, 6, 1478-1517.

Yoffie, D.B., 1997, 'Introduction: CHESS and competing in the age of digital convergence', in: D.B. Yoffie (ed.), *Competing in the Age of Digital Convergence*, Boston, Mass., Harvard Business School Press.

Zandbergen, H.J., 2002, 'Groeiallianties leveren direct synergie op', *Holland Management Review*, 83, 22-31.

Ziegelbauer, K., en R. Farquhar, 2004, 'Strategic alliance management: lessons learned from the Bayer-Millennium collaboration', *Drug Discovery Today*, 9, 20, 864-868.

Register

Stichting Management Studies

De Stichting Management Studies laat onderzoek verrichten naar management-vraagstukken rond besturing, organisatie en personeelsbeleid. Doel is om met de studies kennis en inzichten te verwerven voor de aanpak van deze vraagstukken.

In haar werkwijze streeft SMS naar een vruchtbare combinatie van wetenschap en praktijk. De uitvoering van de onderzoeken wordt uitbesteed aan gerenommeerde externe onderzoekers en instituten; een nauwe betrokkenheid van beleidsbepalende managers bij de begeleiding van de onderzoeken waarborgt actualiteit en praktische bruikbaarheid van de resultaten. Met deze werkwijze is de Stichting Management Studies uniek in Europa.

De activiteiten van de Stichting Management Studies worden gefinancierd uit donaties en bijdragen van een groot aantal ondernemingen, instellingen en enkele werkgeversorganisaties. In bestuur en commissies participeren personen die een vooraanstaande positie innemen in de ondernemingen en organisaties uit de donateurkring.

Meer informatie, waaronder over lopende onderzoeken, is te vinden op Internet: http://www.managementstudies.nl

Enkele publicaties van de afgelopen jaren:

Management van employability
Dr. J.B.R. Gaspersz en dr. E.M. Ott
Geen enkele onderneming of organisatie kan zijn medewerkers nog life-time employment garanderen. Werknemers zullen veelvuldig van functie en van werkgever moeten veranderen. In de ruilrelatie tussen werkgever en werknemer moet door de werkgever een nieuwe vorm van zekerheid worden ingebracht: aandacht voor behoud van employability (het vermogen om binnen of buiten de onderneming werk te krijgen).
In dit boek wordt verslag gedaan van een onderzoek in een aantal ondernemingen naar mogelijkheden en randvoorwaarden voor bevordering van employability.
1996, 2ᵉ druk 1997, 3ᵉ druk 1998, 4ᵉ druk 1999, uitgave: Van Gorcum, Assen
ISBN 90 232 3127 9

Decentralisatie en personeelsmanagement

Ir. D.J.B. van der Leest, prof.dr. G.R.A. de Jong, drs. P.W.M. van Haaren

Vrijwel alle (grote) organisaties hebben in de afgelopen jaren de taken, verantwoordelijkheden en bevoegdheden t.a.v. de bedrijfsvoering naar kleinere eenheden binnen de organisatie verschoven. Ook personeelsmanagement is in veel organisaties gedecentraliseerd. Door deze verschuiving moet personeelsmanagement nieuwe afwegingen maken: het management van de business units vraagt om op hun problemen toegesneden adviezen, vanuit het concern wordt om samenhang gevraagd. Aan de hand van enkele casestudies wordt in dit boek beschreven hoe arbeidsorganisaties met verschillende concernfilosofieën met dit dilemma omgaan.

1997, 2ᵉ druk 2000, uitgave: Van Gorcum, Assen

ISBN 90 232 3250 X

Rijden managers door rood licht?

Prof.dr.ir. J.G. Wissema, m.m.v. drs. M.J. Langenberg en drs. A.M. Messing

Onderzoek naar de oorzaken van managementbeslissingen die achteraf gezien fout waren. Het gaat daarbij vaak om het niet opmerken, negeren of veronachtzamen van belangrijke informatie. Sterke focus op één probleem, haast, ongeduld, stress, ego, overmoed en groupthink blijken hieraan vaak ten grondslag te liggen.

Op basis van interviews met ervaren, succesvolle managers hebben de onderzoekers een aantal herkenbare cases geconstrueerd, aan de hand waarvan de lezer inzicht krijgt in de processen die zich bij "rijden door rood licht" voordoen.

1997, uitgave: Van Gorcum, Assen

ISBN 90 232 3307 7

De waarde en waarden van concerns

Prof.drs. H. van Londen

Studie naar de belangrijkste opgaven voor concernbestuurders. In het boek wordt niet alleen ingegaan op de "harde" financiële en strategische taken, maar komen ook de "zachte" zaken als HRM en ondernemingswaarden uitgebreid aan de orde. De auteur stelt dat deze laatste taken uiterst belangrijk zijn, omdat ze zowel voor interne binding en samenhang moeten zorgen als richting moeten geven aan de gedragingen van het concern in de maatschappij.

1998, 2ᵉ druk 2000, uitgave: Van Gorcum, Assen

ISBN 90 232 3379 4

Managementconcepten in beweging: tussen feit en vluchtigheid

Dr. L. Karsten en dr. K. van Veen

Een boek over het gebruik van managementconcepten in de Nederlandse managementpraktijk. Met een kritische beschouwing over het verschijnsel "managementconcept" en een overzicht van de concepten die de afgelopen decennia in Nederland opgeld hebben gedaan.

1998, uitgave: Van Gorcum, Assen

ISBN 90 232 3351 4

De bakens verzet; publieke taakorganisaties in verandering

Dr. J.M.M. Sopers

Verzelfstandiging, privatisering en marktliberalisering hebben belangrijke consequenties

voor het managen van de overheidsorganisaties die ermee te maken krijgen. Zowel richting klanten als richting overheid moeten nieuwe posities worden ingenomen. Intern moeten veelal belangrijke veranderingtrajecten worden doorgemaakt. In dit boek wordt ingegaan op de specifieke vraagstukken die zich voordoen bij verschillende soorten taakorganisaties en op de wijzen waarop het topmanagement met de nieuwe uitdagingen omgaat.
1999, uitgave Van Gorcum, Assen
ISBN 90 232 3502 9

Kennis delen in de praktijk; vergaren, uitwisselen en ontwikkelen van kennis met ICT
Dr. M. Huysman en dr. D. de Wit
Een boek waarin wordt beschreven hoe kennismanagement in verschillende grote ondernemingen en organisaties in de praktijk wordt gebracht. In het onderzoek is zowel gekeken naar kennismanagement projecten die waren gericht op het toegankelijk maken van kennis voor individuele medewerkers als naar projecten die als doel hadden kennisdeling tussen collega's te bevorderen of om gezamenlijk nieuwe kennis te ontwikkelen. Speciale aandacht is besteed aan de inzet van ICT in de ondersteuning van kennismanagement.
2000, uitgave Van Gorcum, Assen
ISBN 90 232 3535 5

Belonen in strategisch perspectief
Dr. M.C. Langedijk en drs. P.M.L. Ykema-Weinen
Een onderzoek naar de factoren die van invloed zijn op het slagen of falen van een nieuw variabel beloningssysteem. Aandacht wordt besteed aan de doelstellingen die de organisatie met het variabel belonen wil bereiken, kenmerken van de huidige en toekomstige organisatie en het invoeringsproces. Streven naar "fit" tussen deze zaken en communicatie over en via belonen vormen volgens de onderzoeksters voorwaarden voor blijvend succesvolle toepassing van variabel belonen. Aan de hand van een tiental cases wordt de lezer inzicht gegeven in de werking van de diverse factoren.
2000, uitgave Van Gorcum, Assen
ISBN 90 232 3536 3

Het onmisbare middenkader
Dr. J.I. Stoker en drs. A.W. de Korte
De functie van middle-management is in verandering. In het kader van decentralisatie en door het toenemend belang van 'people management' krijgt het middenkader vele nieuwe taken. Superieuren en medewerkers stellen hoge en soms tegenstrijdige eisen. In dit onderzoek worden de verschuivende rollen en taken op basis van casestudies bij een tiental ondernemingen in kaart gebracht. Ook de beleving van deze veranderingen door het middenkader zelf en door medewerkers en hoger management komt aan de orde. Op basis van het onderzoek worden vraagtekens geplaatst bij managementconcepten als integraal management.
2000, 2ᵉ druk 2001, uitgave Van Gorcum, Assen
ISBN 90 232 3581 9

E-business voor gevestigde ondernemingen

Prof.drs. J. Arno Oosterhaven

Internet heeft de zakenwereld definitief veranderd. Ook 'traditionele' ondernemingen moeten zich opmaken voor de nieuwe wijze van zakendoen, anders missen zij definitief de boot. Echter E-business vraagt meer dan het openen van een website met producten en diensten. De ondernemingsstrategie, interne organisatie en bedrijfsvoering zullen opnieuw moeten worden overdacht en aangepast. Dit boek biedt management een handreiking voor de keuzes en beslissingen waarvoor men komt te staan. Met een uitgebreide beschrijving van de praktijkervaringen van een negental Nederlandse ondernemingen die de stap naar E-business al hebben gezet.

2000, uitgave Van Gorcum, Assen

ISBN 90 232 3661 9

Arbeidsrelaties op maat

Dr. Rien Huiskamp, dr.ir. Jan de Leede en prof.dr. Jan Kees Looise

Arbeidsrelaties worden steeds vaker decentraal en individueel ingevuld. Zowel in het personeelsbeleid als in het arbeidsvoorwaardenbeleid worden hiertoe nieuwe instrumenten ontwikkeld en worden bestaande instrumenten aangepast. In dit boek worden de ervaringen met individualisering van arbeidsrelaties bij een aantal koploper-bedrijven beschreven. Daarbij wordt veel aandacht besteed aan vraagstukken rond effectiviteit, besturing en beheersing; maar ook de wensen en verwachtingen van medewerkers komen aan de orde.

2001, uitgave Kon.Van Gorcum, Assen

ISBN 90 232 3771 4

Werk(en) moet wel leuk zijn

Prof.dr. J.J. van Hoof, ir. P.E.M. Bruin, dr. M.J.R. Schoemaker, drs.ing. A. Vroom

Wat maakt werken de moeite waard; wat verwachten mensen van hun werk? Op deze vragen geven mensen zeer uiteenlopende antwoorden. Echter ondanks deze diversiteit is er ook zoiets als een Nederlandse arbeidscultuur.

In dit boek zetten de auteurs de verwachtingen en wensen van verschillende groepen Nederlanders ten aanzien van hun werk op een rij. Tevens worden de veranderingen in kaart gebracht die zich daarin de afgelopen 20 jaar hebben voorgedaan. Uiteraard komen ook de consequenties voor personeelsbeleid aan de orde.

2002, uitgave Kon. Van Gorcum, Assen

ISBN 90 232 3863 X

Het eindspel

Dr. Kène Henkens en ir. Hanna van Solinge

De overgang van VUT- naar flexibele (pre)pensioenregelingen betekent dat werknemers zelf bepalen wanneer ze het arbeidsproces willen verlaten. Voor de onderneming heeft deze onzekerheid over het moment van uittreden consequenties voor het te voeren ouderenbeleid. Om inzicht te krijgen in de overwegingen van werknemers om al dan niet vroegtijdig met werken te stoppen is onderzoek verricht onder werknemers en hun partners. Over de houding van bedrijven zijn leidinggevenden onderzocht.

De uitkomsten van dit onderzoek zijn tevens van belang voor de politieke discussie: de macro-economische wenselijkheid van hogere arbeidsparticipatie blijkt op gespannen voet te staan met de micro werkelijkheid van werknemers en bedrijven.
2003, uitgave Kon. Van Gorcum, Assen
ISBN 90 232 3882 6

Shared Service Centers

Prof.dr. J. Strikwerda

In hun streven naar hogere efficiency en kwaliteit bundelen ondernemingen en overheidsin-stellingen in toenemende mate hun ondersteunende diensten in zgn. shared service centers. De business unit structuur die vele jaren een populair organisatieconcept was, wordt hiermee aangepast aan de actuele noodzaak tot kostenbesparing.

In dit boek behandelt Strikwerda op basis van onderzoek in een groot aantal ondernemingen niet alleen de economisch-theoretische achtergronden van het ssc-concept, maar gaat hij ook uitgebreid in op de belangrijke veranderingen die in de structuur van het concern moeten worden doorgevoerd om het voorspelde voordeel te behalen.

2003, 2ᵉ druk 2004, 3ᵉ druk 2004, 4ᵉ gewijzigde druk 2004, 5ᵉ druk 2005, uitgave Kon. Van Gorcum, Assen
ISBN 90 232 3948 2

De dialoog als vroege Poortwachter

Dr. Aukje Nauta en drs. Guurtje van Sloten

Ziekteverzuim wegens psychische klachten is veelal het gevolg van langdurige onbalans in wat het werk van een persoon vraagt en wat die persoon kan en wil geven. Uit dit onderzoek blijkt dat zowel kenmerken van werk en organisatie als de persoonlijkheid en de privé-omstan-digheden van de werknemer hierbij een rol spelen. Tevens werd gevonden dat het niet de onbalans op zich is, maar de wijze waarop met onbalans wordt omgegaan, die bepaalt of het tot een ziekmelding komt. Tijdig signaleren en in gesprek gaan over een oplossing kunnen dit verzuim voorkomen. Het boek eindigt daarom met een aantal praktische handreikingen voor het voorkomen van psychisch ziekteverzuim.

2004, uitgave Kon. Van Gorcum, Assen
ISBN 90 232 3922 9

Productiviteit in dienstverlening

Prof.dr. B. van Ark en dr. Gj. de Jong

Omdat de productiviteitsontwikkeling in de voor de Nederlandse economie zo belangrijke dienstensector achterblijft, heeft de Stichting Management Studies het initiatief genomen voor een onderzoeksproject over productiviteit in dienstverlenende ondernemingen. Aangezien er veel onduidelijkheid bestaat over de inhoud en het meten van productiviteit van dienstverle-nende arbeid, hebben Van Ark en De Jong een verkenning uitgevoerd over de relevantie van het begrip (arbeids)productiviteit in dienstverlenende ondernemingen, de relatie met andere prestatie indicatoren, de specifieke bronnen van productiviteit, etc. Het geschetste conceptu-ele kader biedt managers een belangrijk aangrijpingspunt om het belang van productiviteit voor de groei van de onderneming op de agenda te zetten.

2004, uitgave Kon. Van Gorcum, Assen
ISBN 90 232 4084 7

Maatwerk in overleg

Prof.dr. R. Goodijk en prof.dr. A.M. Sorge

Zowel werkgevers als (groepen) werknemers plaatsen de nodige vraagtekens bij het nut en het functioneren van de ondernemingsraad. Uit dit onderzoek komt naar voren dat ondernemingen en medewerkers op zoek zijn naar nieuwe, moderne invullingen van begrippen als medezeggenschap en participatie. Maatwerk, toegesneden op de behoeften van de onderneming en van de moderne werknemer, is daarbij het kernthema. De nieuwe vormen van overleg komen veelal in nauwe samenwerking met de OR tot stand. Managers en ondernemingsraadsleden vinden in dit boek inspirerende voorbeelden voor de invulling van voor hun onderneming en situatie relevante medezeggenschap.

2005, uitgave Kon. Van Gorcum, Assen

ISBN 90 232 4136 3

Controle is goed, vertrouwen nog beter

Prof.dr. K. Cools RA

Door de internationale boekhoudschandalen zijn wet- en regelgeving met betrekking tot corporate governance aangescherpt. In dit boek wordt aangetoond dat wet- en regelgeving slechts beperkte waarde hebben ter voorkoming van fraude. De corporate governance hausse heeft ook gevolgen voor de interne besturing van ondernemingen. Met name intern ondernemerschap en de motivatie van het management kunnen als gevolg van de grotere nadruk op control in het gedrang komen. Veel andere negatieve gevolgen zijn via aangepast beleid te ondervangen. Sturen op vertrouwen is volgens Cools de beste remedie.

2005, 2e druk 2006, uitgave Kon. Van Gorcum, Assen

ISBN 90 232 4176 2